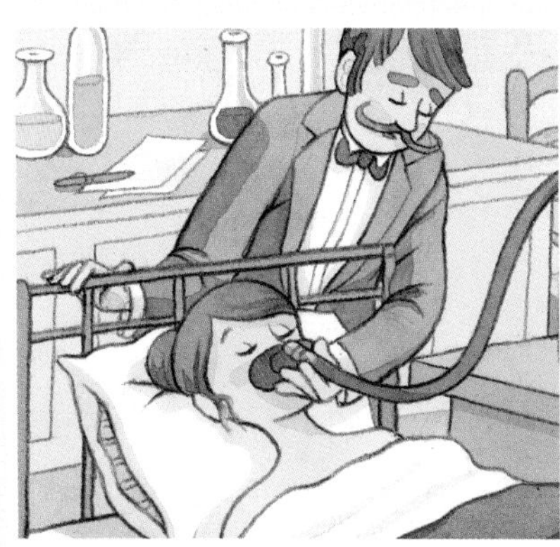

TABLE DES MATIÈRES

MDS : 292697
ISBN : 978-2-215-06675-0

Dépôt légal à la date de parution
Conforme à la loi n° 49-956 du 16 juillet 1949
sur les publications destinées à la jeunesse.
Imprimé en Italie (09-14)

À Laurine et Luc

M.-L. B. et Ph. S.

L'imagerie des inventions

Conception :
Émilie Beaumont

Textes :
Philippe Simon - Marie-Laure Bouet

Images :
Colette Hus-David - M. I. A. : Isabella Misso
Isabelle Rognoni - Sophie Beaujard

FLEURUS

FLEURUS ÉDITIONS, 15-27, rue Moussorgski, 75018 PARIS
www.fleuruseditions.com

LES TRANSPORTS

TRANSPORTER AVANT LA ROUE

Pendant des milliers d'années, les hommes ne disposent que de leur force ou de celle des animaux pour transporter des charges.

Au retour de la chasse, les hommes préhistoriques portent le gibier sur leur dos ou à l'aide d'un bâton.

Puis ils utilisent la force des animaux. Dans certains pays de montagne, on se sert encore de l'âne.

Pour déplacer les blocs de pierre qui servent à la construction, ces hommes les font rouler sur des rondins de bois.

Pendant l'Antiquité, est inventé le traîneau de bois. Muni de patins, il glisse plus facilement sur le sol.

LA ROUE EST INVENTÉE

Sitôt inventée, la roue est fixée sur les traîneaux.
Cette invention va changer le transport et les déplacements.

La première roue est constituée de planches assemblées. Le chariot se déplace alors plus facilement. Plus tard, en Chine, on invente la brouette avec une voile pour utiliser la force du vent.

Les Égyptiens fabriquent des roues à rayons qui sont plus légères. Les chars de guerre vont donc plus vite. Pour éviter que le bois ne s'use trop rapidement en roulant, les roues sont recouvertes de bandes de cuivre.

LES CHEVAUX TIRENT DES CHARIOTS

Le cheval est le dernier animal domestiqué. Mais, jusqu'au Moyen Âge, il ne peut pas tirer de lourdes charges.

Longtemps, le cheval tire avec son cou. Si la charge est trop lourde, il risque de s'étouffer. Au Moyen Âge, on découvre le collier d'épaule : le cheval ne tire plus avec son cou mais avec ses épaules, ce qui lui fait moins mal et lui donne plus de force.

À la Renaissance, les gens riches utilisent de beaux carrosses en bois. Les portes et les fenêtres n'ont pas encore de vitres, on les ferme avec des rideaux. Les roues avant sont devenues mobiles : elles tournent à gauche et à droite. C'est plus facile pour prendre les virages !

Pour transporter davantage de voyageurs et de marchandises, des attelages de plusieurs chevaux tirent les fourgons et les diligences. Au relais, les chevaux fatigués sont remplacés par des chevaux reposés.

Ce fourgon parcourt plus de trente kilomètres par jour. Il a de larges roues pour ne pas s'enfoncer. Le cocher marche à côté des dix ou douze chevaux qui composent l'attelage.

Cette diligence du XIXe siècle est équipée d'une suspension à ressorts. Les passagers ressentent moins les secousses quand la route n'est pas bonne.

Dans quelques grandes villes du XIXe siècle, les omnibus à impériale transportent une quarantaine de passagers. Une échelle ou un escalier sont installés pour accéder à l'étage.

LES LOCOMOTIVES

Pour déplacer plus facilement de lourds chargements, on invente des chariots roulant sur des rails et tirés par des hommes puis des chevaux.

En bois puis en acier, les premiers rails sont d'abord utilisés dans les mines, ils permettent de faire rouler plus facilement les wagonnets.

La première locomotive à vapeur est construite en 1804. La chaudière à charbon produit de la vapeur qui pousse un piston entraînant les roues. Le charbon et l'eau nécessaires sont transportés dans un wagon. Cette locomotive atteint 8 km/h.

Les premiers wagons n'ont pas de toit. Les locomotives deviennent ensuite de plus en plus puissantes et rapides : les premiers trains de voyageurs apparaissent alors avec leurs wagons en bois.

Dans ces premiers wagons de trains de voyageurs, les portes sont fermées à clé pour éviter que l'on tombe en route !

Dans chaque pays, des voies ferrées sont construites afin que les trains puissent circuler partout.

À bord de la locomotive, le chauffeur charge le charbon dans le foyer pour faire avancer la machine, le mécanicien conduit. De grosses lunettes les protègent du vent et des petits morceaux de charbon qui s'échappent de la cheminée.

Avec la vapeur et le rail, les hommes inventent de nombreuses machines pour transporter passagers et marchandises. Au début du XXe siècle, les locomotives atteignent 120 km/h.

Des monorails sont inventés. Ils fonctionnent à la vapeur et circulent sur un seul rail. Ils passent au-dessus des routes et traversent les villes. Certains de ces monorails existent encore.

La Big Boy est la plus grosse locomotive à vapeur jamais construite. Elle pouvait tirer jusqu'à 120 wagons de marchandises derrière elle.

Au fil des années, les moteurs électriques puis les moteurs diesels remplacent la vapeur. Pour aller de plus en plus vite en toute sécurité sont apparus les trains à grande vitesse (TGV).

Cette première grosse locomotive électrique de 1920 s'appelait « crocodile » (1).
Aujourd'hui, les locomotives diesels fonctionnent avec du gazole (2).
Les locomotives électriques récentes tirent des trains très lourds et très longs.

Les TGV roulent sur des voies spéciales qui leur sont réservées.
Ils peuvent transporter les passagers sans danger à plus de 300 km/h.

LES VOITURES

La première voiture automobile est construite en 1770 par le Français Joseph Cugnot. Son engin, le fardier, est tiré par un moteur à vapeur.

Pour que le fardier démarre, il faut allumer du feu sous la grosse chaudière en cuivre. L'eau se transforme en vapeur qui actionne le moteur et entraîne la roue avant. Il atteint la vitesse d'un homme qui marche mais, lors du premier essai, il ne freine pas et rentre dans un mur !

La première diligence à vapeur construite par un Anglais transporte neuf passagers à 13 km/h.

En 1887, des Français présentent un étrange tricycle à vapeur capable d'atteindre 60 km/h.

Grâce à l'invention du moteur à essence, plus léger et plus puissant que le moteur à vapeur, les Allemands Benz et Daimler construisent presque en même temps les premières voitures modernes.

Le tricycle à essence mis au point par Benz transporte deux personnes à 13 km/h. Les passagers étendent une couverture sur leurs jambes pour se protéger du froid.

En 1886, ce modèle de Daimler roule à 18 km/h. Il n'a pas de volant mais une sorte de guidon à quatre branches.

En 1899, cette voiture électrique appelée « *La Jamais Contente* » est la première à dépasser la vitesse de 100 km/h.

DES MILLIONS DE VOITURES

Les toutes premières voitures à moteur ressemblent beaucoup à des voitures à cheval. Mais, rapidement, leurs formes changent.

Dès 1895, les roues de cette voiture de course sont équipées de pneus gonflés d'air.

Les voitures comme cette Rolls Royce vont de plus en plus vite et atteignent 80 km/h. On doit se protéger les yeux.

En 1908, la Ford T est la première auto fabriquée en grand nombre à la chaîne. Des millions d'Américains l'achètent.

Plus besoin de manivelle pour démarrer cette voiture grâce à l'invention du démarreur électrique.

Puis apparaissent les carrosseries fermées. On voyage alors à l'abri du vent et de la pluie. L'hiver, dans cette Traction avant, on peut même mettre du chauffage !

Le confort et la sécurité s'améliorent au fur et à mesure des inventions (clignotants, chauffage, dégivrage...). Désormais, les constructeurs fabriquent des moteurs moins polluants, rejetant moins de fumées.

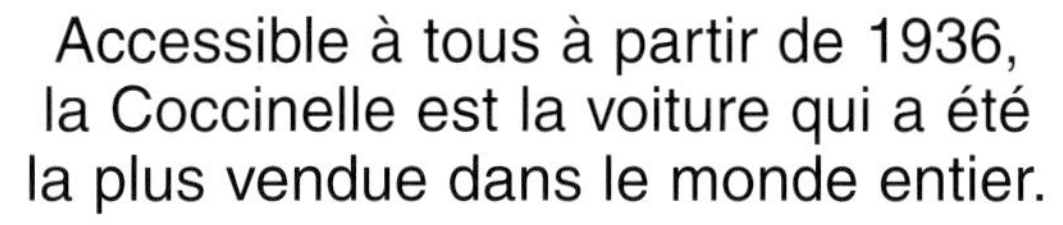

Accessible à tous à partir de 1936, la Coccinelle est la voiture qui a été la plus vendue dans le monde entier.

Dès 1948, la 2 CV a connu, elle aussi, un grand succès. C'était une des voitures les moins chères.

Pour mieux glisser dans l'air et aller plus vite, on invente des formes nouvelles, comme cette DS 19. Cette voiture, sortie en 1955, est aussi l'une des plus confortables de son époque grâce à son système de suspensions.

Pour que toute la famille puisse voyager sans être trop à l'étroit, on invente les monospaces à la fin du XXe siècle.

Des voitures de plus en plus petites apparaissent aussi pour pouvoir se garer facilement en ville.

LA BICYCLETTE

La bicyclette n'a pas toujours eu deux pédales, une chaîne et un guidon. Au début, les roues étaient en bois et n'avaient pas de pneus.

Le peintre et savant Léonard de Vinci avait imaginé à la Renaissance le vélo, mais il ne l'avait pas fabriqué.

La draisienne apparaît en 1817. On apprend à s'en servir avec l'aide d'un moniteur.

La draisienne est l'un des premiers modèles. Il a un guidon qui tourne la roue avant mais n'a pas de pédales.

Ensuite, deux pédales sont installées sur la roue avant d'une draisienne : c'est le vélocipède.

Vers 1870, le grand bi est inventé.

Un peu plus tard, la grande roue avant du grand bi permet d'aller plus vite, mais il est bien difficile de tenir en équilibre !

La première vraie bicyclette apparaît en 1885 en Angleterre. Elle a deux pédales et une chaîne. Quand on pédale, la chaîne entraîne la roue arrière qui avance. Puis on invente les vitesses.

Les premières bicyclettes sont encore lourdes. Mais, grâce aux pneus gonflables, on tressaute moins sur les pavés.

Les premiers vélos de course ne possèdent pas de vitesses. Il faut beaucoup de force pour pédaler dans les montées.

Les vélos ont ensuite un dérailleur. Inventé dans les années 1980, le vélo tout terrain permet d'aller partout.

Les vélos de course professionnels actuels sont ultralégers et permettent de battre des records de vitesse.

LES ROUTES ET LES PONTS

Pour que les marchandises circulent plus facilement dans leur empire, les Romains construisent des milliers de kilomètres de routes.

Ce sont les esclaves et les soldats qui font ces routes. Ils creusent des tranchées qu'ils remplissent de sable et de graviers. Ils tassent le tout et posent de grandes pierres taillées. Tous les mille pas, une borne indique la distance parcourue.

Pour traverser les rivières et les fleuves, il a fallu construire des ponts. De plus, lorsque les voitures sont apparues, les routes ont été lissées afin de rouler plus vite et plus confortablement.

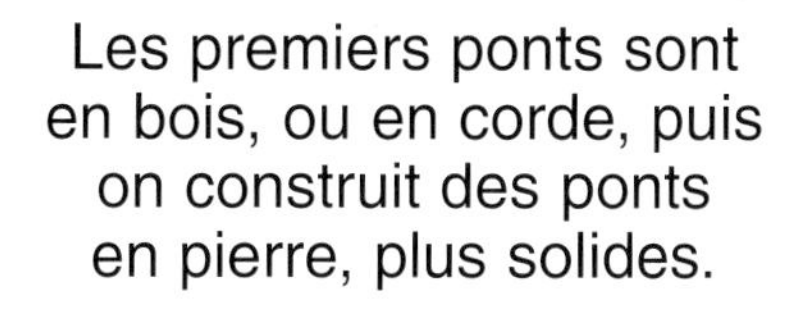

Les premiers ponts sont en bois, ou en corde, puis on construit des ponts en pierre, plus solides.

Au XIXe siècle, le fer est très utilisé dans l'industrie, on bâtit donc des ponts en fer.

Au XXe siècle, les progrès techniques permettent de bâtir des ponts en béton de plusieurs kilomètres de long.

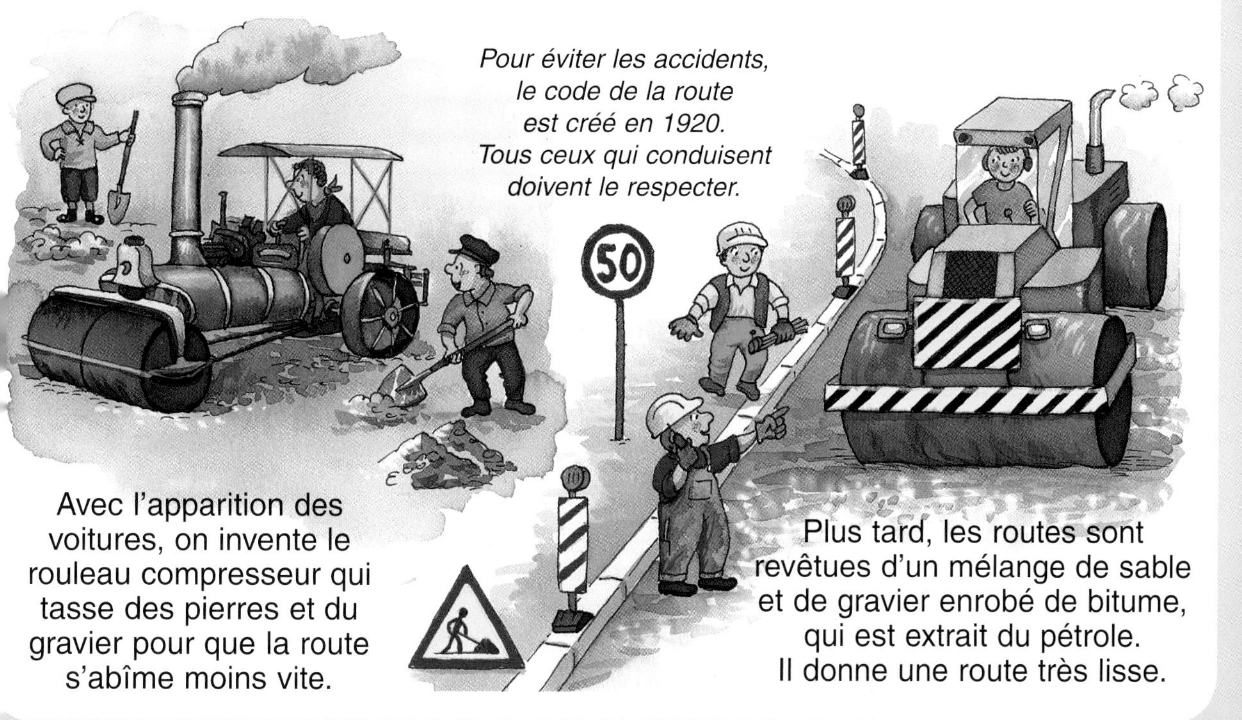

Pour éviter les accidents, le code de la route est créé en 1920. Tous ceux qui conduisent doivent le respecter.

Avec l'apparition des voitures, on invente le rouleau compresseur qui tasse des pierres et du gravier pour que la route s'abîme moins vite.

Plus tard, les routes sont revêtues d'un mélange de sable et de gravier enrobé de bitume, qui est extrait du pétrole. Il donne une route très lisse.

LES PREMIERS BATEAUX À RAMES ET À VOILES

Les premiers bateaux datent de la préhistoirc. Selon les régions, ils sont construits avec du bois, des peaux, des os ou des roseaux.

Un tronc évidé peut faire une bonne pirogue.

Les Égyptiens tressent des tiges de papyrus.

L'armature de la pirogue peut être en bois ou en os de baleine.

Les pirogues de la préhistoire sont creusées dans des troncs d'arbre ou faites avec des peaux cousues sur une armature. Dans certains pays, comme en Égypte, les barques sont construites avec des bottes de roseaux.

Les bateaux en bois des Égyptiens sont les premiers à posséder un mât et une voile carrée en tissu. Quand il n'y a pas de vent ou que celui-ci souffle dans le mauvais sens, la voile est repliée et les marins doivent ramer.

Pendant l'Antiquité, de solides navires en bois sillonnent la mer Méditerranée. Jusqu'à l'invention du gouvernail, on se dirige grâce à une sorte de grande rame située à l'arrière du bateau.

Les galères grecques et romaines avancent grâce à des voiles et aussi à la force de nombreux esclaves qui rament en rythme.

Au Moyen Âge, les Vikings sont les premiers à traverser l'Atlantique à l'aide de bateaux résistants : les drakkars.

Grâce au gouvernail, une large pièce de bois fixée à l'arrière du bateau, les Chinois dirigent plus facilement leurs grandes jonques.

À la Renaissance, l'explorateur Christophe Colomb et son équipage, à bord de caravelles, traversent l'Atlantique et parviennent en Amérique après 40 jours de mer.

LES BATEAUX À VAPEUR

Deux grandes inventions transforment la navigation : les machines à vapeur et les coques en fer, plus solides que les coques en bois.

Avec la vapeur, plus besoin de vent pour avancer. La chaudière à charbon produit de la vapeur qui fait tourner les deux roues fixées de chaque côté du bateau. En 1838, le navire représenté est le premier qui a traversé l'Atlantique uniquement grâce à la vapeur.

L'hélice est inventée en 1804 mais n'est pas utilisée tout de suite.

En 1860, le premier bateau à coque en fer, plus solide, est propulsé par une hélice qui repousse l'eau et fait ainsi avancer le navire.

À partir de 1920, les machines à vapeur sont remplacées par des moteurs diesels. Les navires vont plus vite. De nouveaux types de bateaux sont construits en fonction de leur activité.

Les péniches sont des bateaux à fond plat qui convoient des marchandises sur les fleuves et les rivières. Avant l'invention du moteur, elles étaient tirées par des chevaux.

D'immenses pétroliers sont conçus pour transporter des tonnes de pétrole. L'équipage passe plusieurs mois à bord.

De gigantesques paquebots sont fabriqués pour emmener de riches passagers en croisière sur les mers du monde.

Les ferries sont des bateaux rapides qui transportent des voyageurs sur de courtes distances.

Ce ferry avance sur coussin d'air.

SE REPÉRER EN MER

Pour se repérer en mer, les premiers marins observent la nature. Comme ils n'ont aucun instrument, ils ne s'éloignent pas des côtes.

Jusqu'au Moyen Âge, les marins se dirigent en suivant les étoiles : l'étoile Polaire leur indique le Nord.

Pour avertir les marins qu'ils arrivent près d'une ville, des phares sont construits à l'entrée des ports.

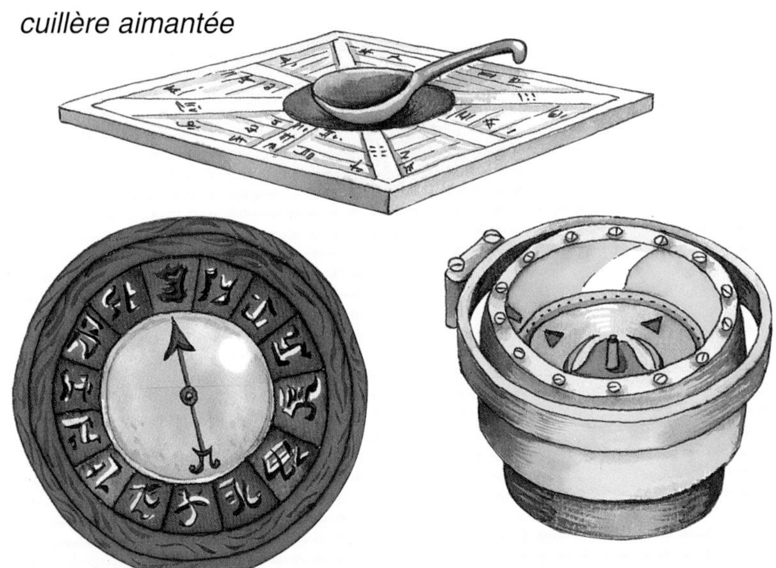

Fabriquée dans un métal aimanté, la cuillère chinoise indique le Nord. Au Moyen Âge, les Chinois inventent la boussole, qui remplace la cuillère. De jour comme de nuit, et même par temps brumeux, les marins peuvent ainsi savoir où se situe le Nord. Le compas moderne fonctionne comme la boussole.

À la Renaissance, de nouveaux instruments de navigation permettent aux marins d'entreprendre de grands voyages autour du monde. Ils rapportent des indications qui servent à établir des cartes plus précises.

Avec l'astrolabe (1), l'arbalestrille (2) et le sextant (3), les marins peuvent calculer l'endroit précis où ils se trouvent en mer.

De nouvelles cartes sont tracées au fil des découvertes.

Désormais, on s'aide de radars, d'ordinateurs et des satellites.

LES SOUS-MARINS

Pendant des siècles, les hommes ont rêvé d'aller sous l'eau.
En 1776, un Américain imagine un sous-marin en bois : *la Tortue*.

La Tortue se déplace grâce à une hélice actionnée par le passager. La partie au-dessus de l'eau permet de respirer.

En 1888, le sous-marin *Gymnote* possède une hélice et deux moteurs pour naviguer sous l'eau et en surface.

En 1955, *Le Nautilus* est le premier sous-marin qui fonctionne au nucléaire ; il peut rester plusieurs jours en plongée.

En 1960, *Le Trieste* bat un record de plongée : il descend à 10 916 m et permet d'explorer les grands fonds.

Pour se déplacer et respirer sous l'eau, l'homme invente le scaphandre, un équipement relié à l'air de la surface par un tuyau. Aujourd'hui, les scaphandres ont des bouteilles et peuvent descendre jusqu'à - 500 m.

En 1690, de l'air contenu dans des tonneaux permet de respirer pendant une heure dans cette cloche en bois.

Au XIXe siècle, un long tuyau relie le scaphandrier à une pompe à air. Les scaphandres actuels sont plus libres.

Des sous-marins très perfectionnés descendent à de très grandes profondeurs. Ils permettent de filmer des épaves, comme celle du paquebot *Titanic* qui a coulé en 1912. Des engins modernes peuvent fouiller le fond grâce à leurs bras articulés.

S'ÉLEVER DANS LES AIRS

Les hommes ont longtemps cherché à voler. Selon la légende grecque, Icare aurait réussi en confectionnant des ailes avec des plumes.

Le héros grec Icare, en volant, s'approche du Soleil. Hélas, la chaleur fait fondre la cire qui fixe ses plumes et il tombe dans la mer. Au Moyen Âge, Marco Polo, grand aventurier, raconte qu'il a vu des Chinois voler en s'attachant à des cerfs-volants.

À la Renaissance, le peintre et savant Léonard de Vinci étudie longuement le vol des oiseaux. Il imagine cette machine à voler. Le pilote aurait actionné les ailes grâce à des cordes et des poulies. Mais cette machine est restée un rêve et n'a jamais été construite.

LES VOLS EN BALLON

Les frères De Montgolfier inventent le premier ballon à air chaud, qui est appelé montgolfière. Un marquis et un chimiste effectuent le premier vol.

La première montgolfière en 1783.

Les dirigeables (ci-dessous) sont gonflés avec un gaz plus léger que l'air qui les fait s'élever. Ils sont ensuite propulsés par une hélice et dirigés grâce à un gouvernail.

En chauffant l'air contenu à l'intérieur, la montgolfière (fabriquée en tissu et en papier) s'élève. Plus tard, apparaissent aussi des dirigeables.

LES AVIONS

En 1890, l'avion de Clément Ader s'élève de 20 cm au-dessus du sol. Les premiers avions sont en bois avec des ailes de toile tendue.

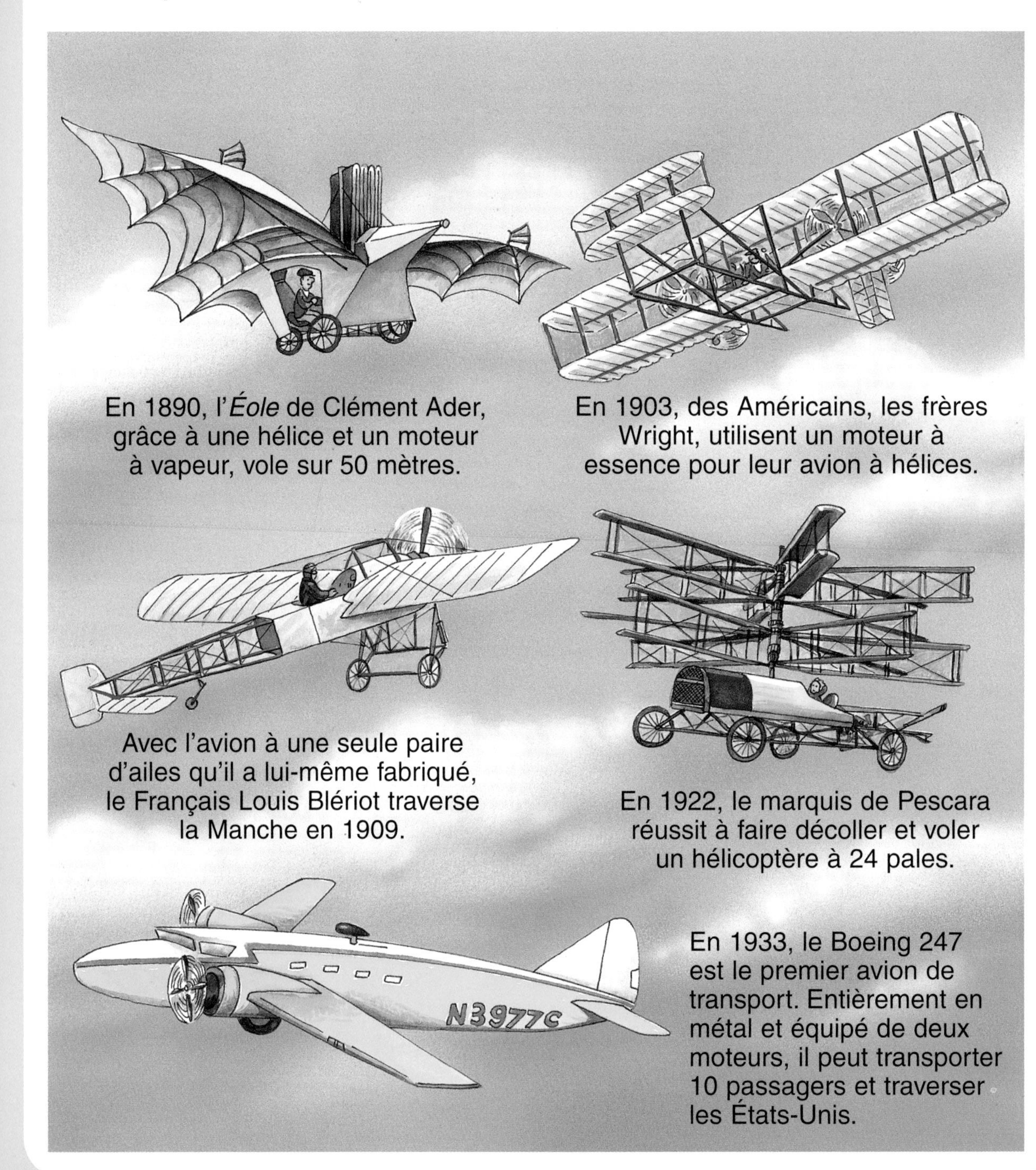

En 1890, l'*Éole* de Clément Ader, grâce à une hélice et un moteur à vapeur, vole sur 50 mètres.

En 1903, des Américains, les frères Wright, utilisent un moteur à essence pour leur avion à hélices.

Avec l'avion à une seule paire d'ailes qu'il a lui-même fabriqué, le Français Louis Blériot traverse la Manche en 1909.

En 1922, le marquis de Pescara réussit à faire décoller et voler un hélicoptère à 24 pales.

En 1933, le Boeing 247 est le premier avion de transport. Entièrement en métal et équipé de deux moteurs, il peut transporter 10 passagers et traverser les États-Unis.

Tout au long du XXe siècle, les avions se perfectionnent et deviennent entièrement en métal, les réacteurs remplacent aussi les hélices, ce qui permet aux machines de voler plus vite et plus loin.

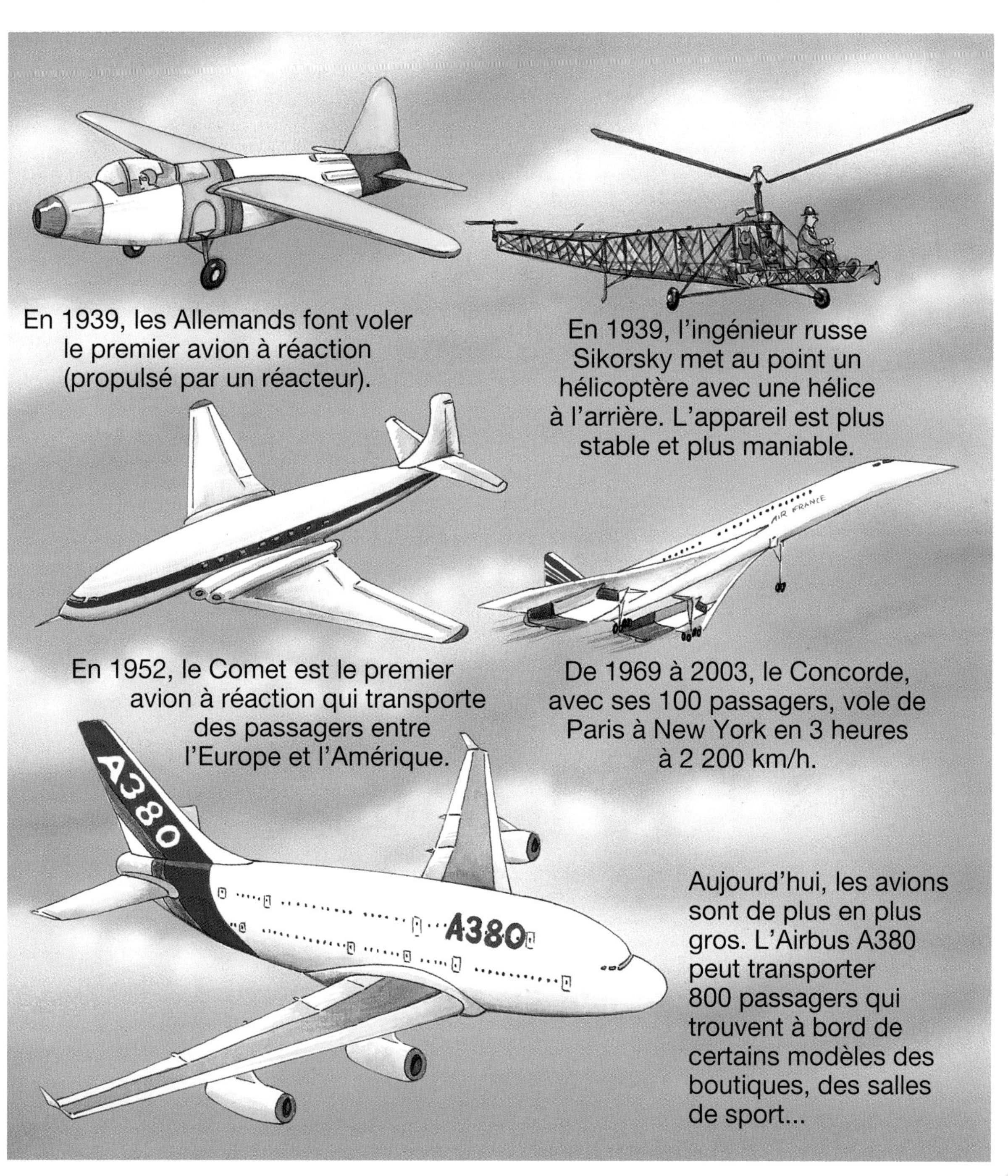

En 1939, les Allemands font voler le premier avion à réaction (propulsé par un réacteur).

En 1939, l'ingénieur russe Sikorsky met au point un hélicoptère avec une hélice à l'arrière. L'appareil est plus stable et plus maniable.

En 1952, le Comet est le premier avion à réaction qui transporte des passagers entre l'Europe et l'Amérique.

De 1969 à 2003, le Concorde, avec ses 100 passagers, vole de Paris à New York en 3 heures à 2 200 km/h.

Aujourd'hui, les avions sont de plus en plus gros. L'Airbus A380 peut transporter 800 passagers qui trouvent à bord de certains modèles des boutiques, des salles de sport...

LES FUSÉES

Les fusées sont connues depuis très longtemps en Chine mais, avant le XXe siècle, elles n'étaient pas assez puissantes pour atteindre l'espace.

Propulsées par de la poudre à canon, les fusées des feux d'artifice chinois s'élèvent à quelques mètres de haut.

En 1926, un Américain fait brûler un mélange de gaz et parvient à faire monter une fusée à plus de 2 km !

C'est lors de la Deuxième Guerre mondiale que sont perfectionnées des fusées qui sont des bombes volantes.

En 1969, la fusée Saturne 5 emporte des hommes dans l'espace. Les deux premiers étages sont des réservoirs.

LES SATELLITES

En 1957, une fusée russe envoie le premier satellite dans l'espace. Tournant autour de la Terre, les satellites améliorent les communications.

C'est à bord de satellites que les premiers êtres vivants sont partis dans l'espace : d'abord une petite chienne, puis un cosmonaute russe.

Les satellites aident à prévoir le temps, à transmettre des émissions de télévision et facilitent les communications (téléphone, radio...).

UN AVION POUR ALLER DANS L'ESPACE

En 1969, la fusée américaine Saturne 5 envoie des hommes sur la Lune. Onze ans plus tard, la navette spatiale est mise au point.

21 juillet 1969 : les premiers hommes posent le pied sur la Lune. Le monde entier suit cette aventure extraordinaire.

Un peu plus tard, une jeep lunaire est inventée et roule sur la Lune lors d'une mission américaine.

La navette spatiale décolle grâce à deux énormes fusées. En vol, elle se détache des fusées. Durant leur mission, les astronautes peuvent sortir réparer des satellites. Actuellement, on construit des stations de travail dans l'espace.

LA COMMUNICATION

L'ÉCRITURE

Pour conserver des traces de leurs connaissances et tenir des comptes, les hommes de l'Antiquité inventent l'écriture.

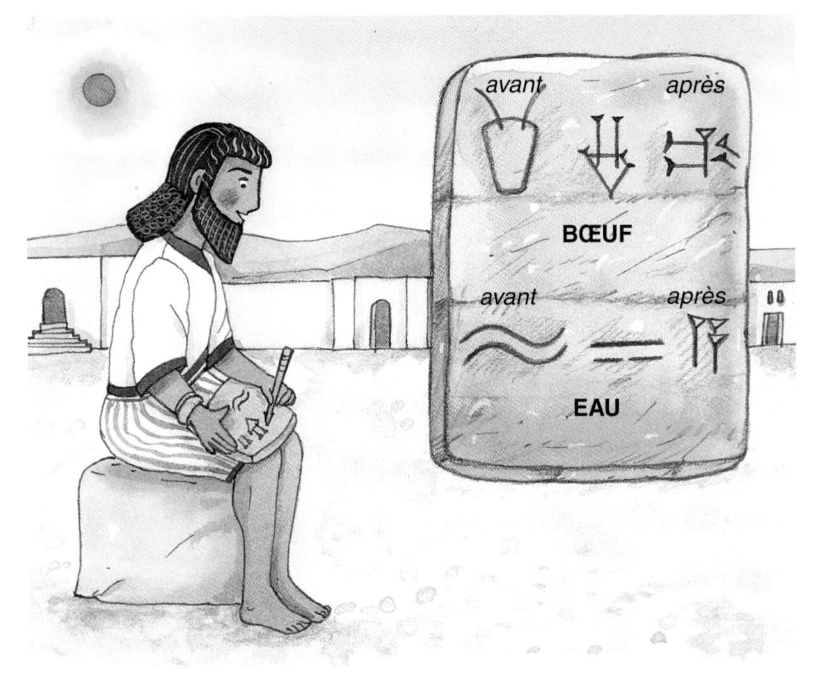

Grâce à un roseau taillé, les Mésopotamiens gravent des tablettes d'argile humide. Les mots sont d'abord représentés par des dessins, mais les lignes courbes ne sont pas faciles à graver, peu à peu les dessins forment des signes.

Dans l'Égypte ancienne, certains Égyptiens, les scribes, écrivent grâce à des signes : les hiéroglyphes.

Une légende raconte que les Chinois ont inventé les caractères de leur écriture en imitant des empreintes d'oiseaux.

Ce sont les Phéniciens, un ancien peuple des bords de la Méditerranée, qui inventent l'alphabet. Au fil du temps et selon les pays, les lettres se sont transformées.

Le premier alphabet compte 22 lettres qui représentent chacune un son. L'alphabet que nous utilisons pour écrire le français compte 26 lettres. Il nous vient des Romains. Les Arabes, les Russes ou les Thaïlandais ont d'autres alphabets.

Pour lire, les aveugles utilisent l'alphabet Braille. Chaque lettre est représentée par des points en relief que l'on touche du doigt pour décrypter le texte. C'est Louis Braille, lui-même aveugle, qui a mis au point cet alphabet.

DU PAPYRUS AU PAPIER

Aussitôt qu'ils ont inventé l'écriture, les hommes de l'Antiquité ont utilisé toutes sortes de supports pour écrire.

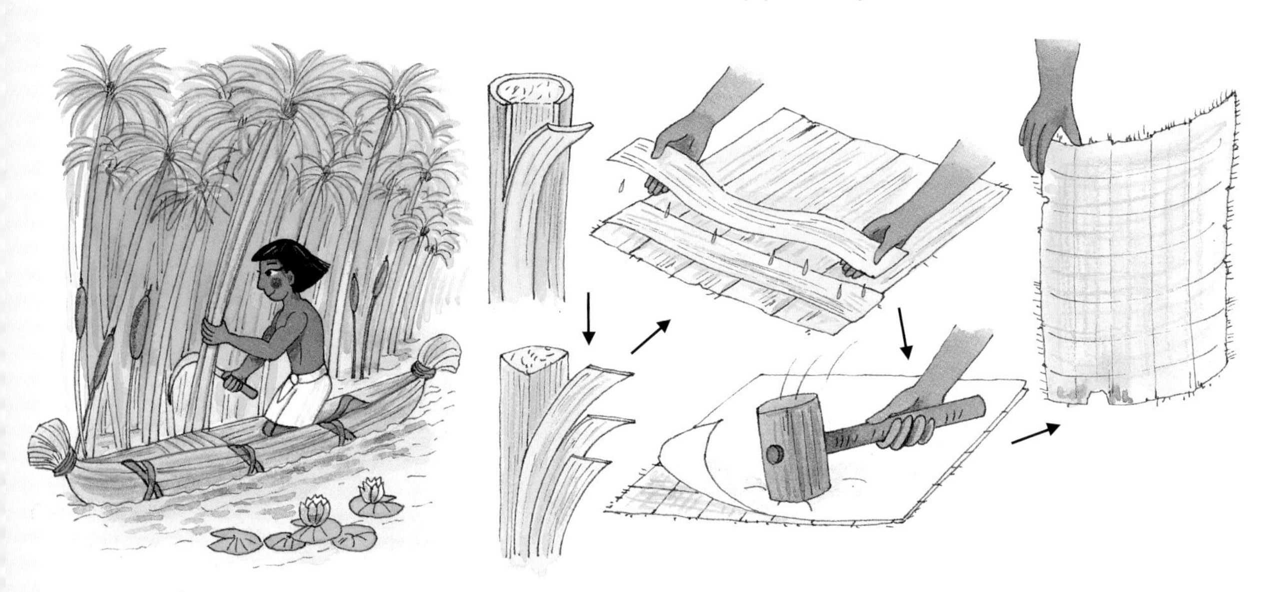

Les Égyptiens fabriquent une sorte de papier avec du papyrus. La tige de cette plante est coupée en fines lamelles qui sont mises à tremper. Ces lamelles sont entrecroisées bien serrées et martelées. Lorsque le papyrus est sec, on peut écrire.

Les Chinois écrivent d'abord sur des morceaux de soie mais, il y a 2 000 ans, un empereur chinois demande à son intendant de lui inventer une matière moins chère. Il fait tremper dans l'eau de l'écorce de mûrier, du bambou et de vieux chiffons (1). En broyant le tout, il obtient une pâte (2) qu'il étale sur un tamis (3). Cette pâte très fine est pressée (4) et mise à sécher. Le papier est né.

À Rome, on invente le parchemin fabriqué avec de la peau de chèvre, de mouton ou de veau. Moins fragile et plus facile à transporter que le papyrus, le parchemin est utilisé jusqu'au Moyen Âge.

Pour fabriquer du parchemin, il faut laver la peau et la plonger plusieurs jours dans la chaux. Elle est ensuite grattée pour enlever les poils et les morceaux de chair. Puis on la laisse sécher avant de la racler pour l'assouplir. Après ces étapes, on peut écrire dessus.

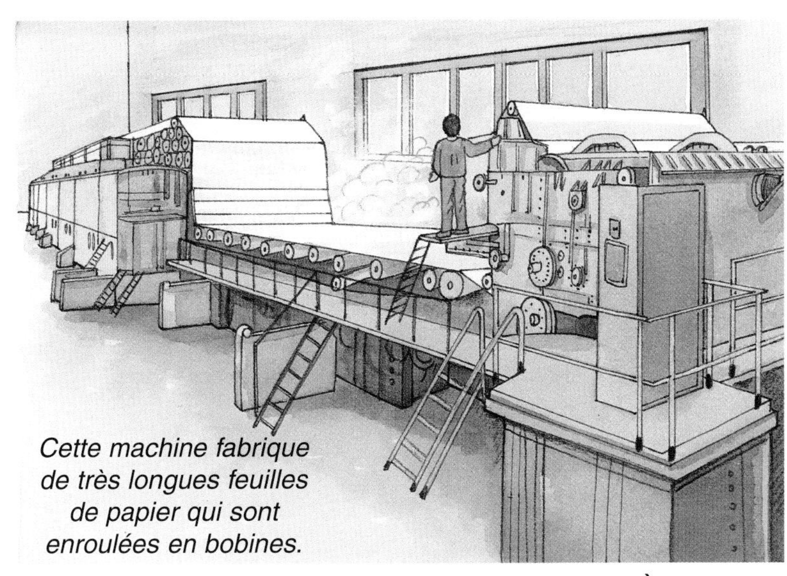

Cette machine fabrique de très longues feuilles de papier qui sont enroulées en bobines.

Au fil du temps, on n'utilise plus que des fibres de bois finement broyées. À partir de ces fibres, on fabrique en usine de la pâte à papier que d'énormes machines chauffent, étalent et sèchent. Le papier est stocké en très grosses bobines.

DU ROSEAU À L'ORDINATEUR

Pour écrire sur de l'argile, de la cire, du papyrus ou du papier, on a inventé dès l'Antiquité les premiers crayons.

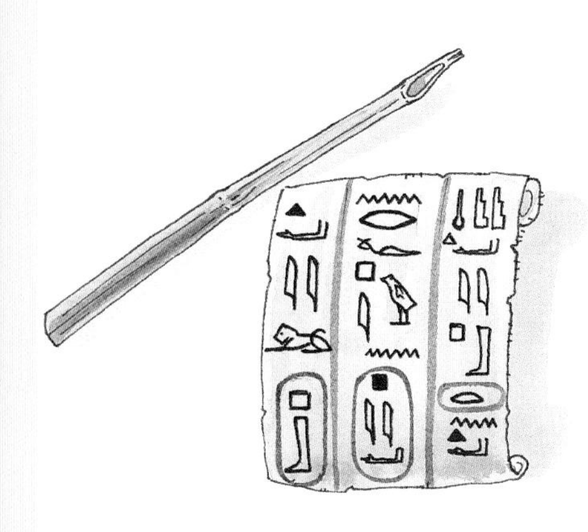

Les Égyptiens écrivent avec des roseaux taillés qu'ils trempent dans une sorte d'encre (charbon écrasé avec de l'eau).

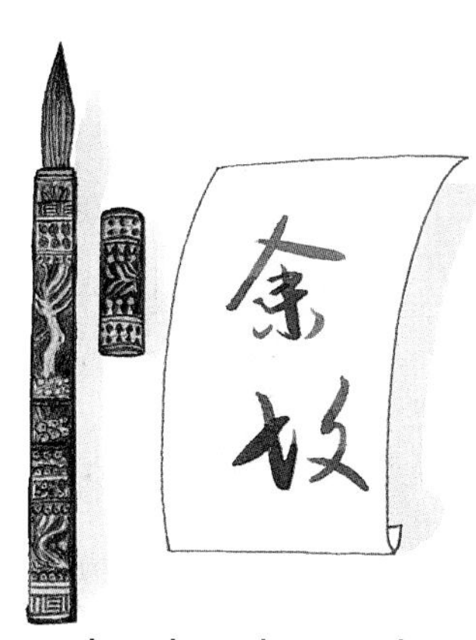

Pour dessiner leurs signes, les Chinois fabriquent des pinceaux en poils de loup ou de chèvre.

Au Moyen Âge, on écrit sur les parchemins avec des plumes d'oie. Mais on grave aussi des plaques de cire.

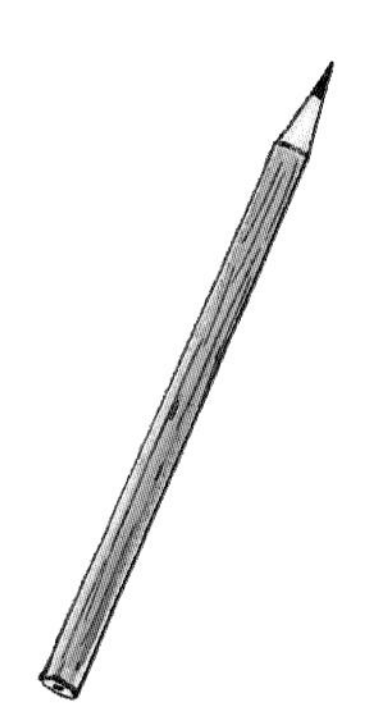

À la Renaissance apparaît le crayon de papier. Sa mine en plomb est entourée de bois.

Les premières plumes d'acier, qui s'emboîtent sur un porte-plume, sont fabriquées au XIXe siècle. Comme pour la plume d'oie, il faut souvent tremper le bout de la plume d'acier dans l'encrier. Il n'est pas facile d'écrire et une tache d'encre est vite arrivée ! Le papier buvard est bien utile pour absorber ces taches.

porte-plume

Au XIXe siècle, pour écrire plus vite et plus lisiblement, on invente les machines à écrire. Pour prendre des notes, on continue à se servir de stylos à encre que l'on peut emporter partout avec soi.

Pour changer de caractère, il suffit de changer la boule.

Les premières machines à écrire sont mécaniques. Il faut taper fort sur les touches. Les secrétaires doivent apprendre à taper sans regarder le clavier et en utilisant tous les doigts.

Peu à peu, les machines se perfectionnent : elles deviennent électriques et l'on peut varier les formes des lettres (caractères). Mais lorsqu'on se trompe, il faut tout retaper.

Le stylo à bille est inventé en 1938. En roulant, la bille dépose de l'encre sur le papier.

Lorsque les ordinateurs de bureau sont inventés, ils remplacent vite les machines à écrire. Avec l'ordinateur, tous les textes qui ont été tapés peuvent être gardés en mémoire, être corrigés à tout moment sur l'écran et imprimés à plusieurs exemplaires sur une imprimante !

DES LIVRES COPIÉS À LA MAIN

Pendant des siècles, les livres sont rares car ils sont copiés à la main, ce qui demande des semaines de travail.

Les moines du Moyen Âge copient les textes sur du parchemin. Un artiste décore les pages avec des dessins colorés et de belles lettres majuscules : les enluminures. Les pages sont ensuite cousues et protégées par une couverture en bois ou en cuir.

LES CHINOIS INVENTENT L'IMPRIMERIE

Il y a 1 200 ans, pour copier des pages plus vite, les Chinois découvrent comment reproduire l'écriture en gravant les signes sur du bois.

Le texte est d'abord écrit sur une feuille qui est ensuite retournée sur une planche. En appuyant bien, l'empreinte du texte reste sur le bois.

Grâce aux empreintes, chaque caractère est sculpté à l'envers dans le bois. Puis, le texte sculpté est encré. On pose ensuite une feuille sur la planche en appuyant délicatement : le texte s'imprime. D'autres pages peuvent ainsi être imprimées.

L'IMPRIMERIE SE PERFECTIONNE

Pour ne plus perdre de temps à sculpter des textes entiers, l'Allemand Gutenberg imagine une nouvelle technique.

Chaque lettre et signe de ponctuation est sculpté dans du plomb. Bien rangés dans un casier (casse), les caractères peuvent resservir plusieurs fois. Pour composer un texte, on les aligne dans un cadre de bois puis on les enduit d'une encre épaisse.

Un ouvrier pose une feuille blanche sur le texte encré et place le tout sous la presse. Lorsqu'il serre la vis, la presse appuie fortement sur la feuille pour que les mots s'impriment. Ensuite, la feuille est enlevée délicatement et mise à sécher.
On peut alors recommencer avec une nouvelle feuille.

Les différentes inventions techniques et informatiques permettent maintenant d'imprimer les livres très vite. Les images et les textes sont d'abord préparés sur ordinateur, puis les pages partent chez l'imprimeur.

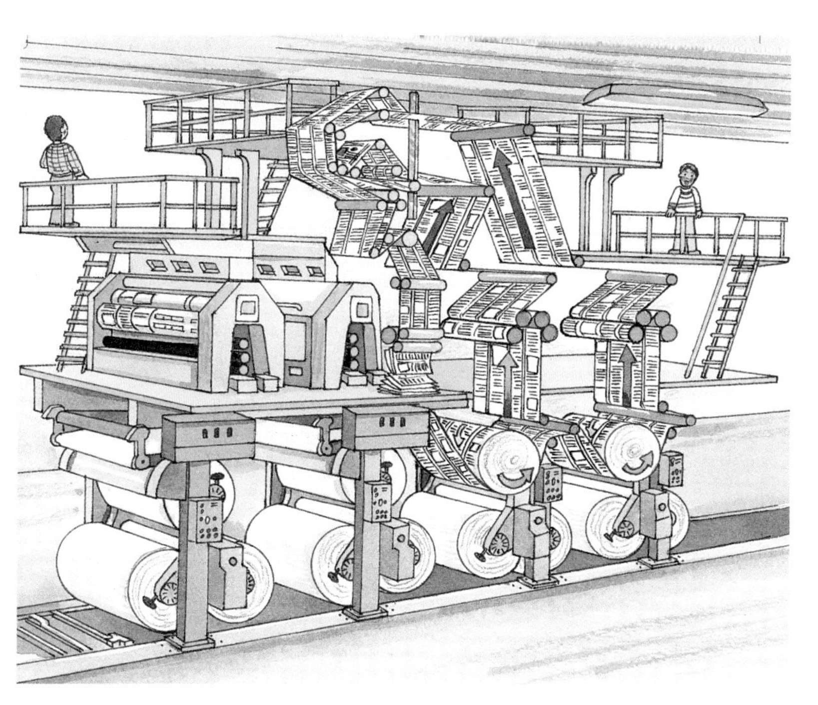

Les magazines, les journaux et certains livres sont imprimés sur des machines très rapides, les rotatives, qui plient, coupent et agrafent aussi les feuilles.
En quelques heures, plusieurs milliers d'exemplaires sortent ainsi des rotatives, prêts à être livrés.

Ces machines ne font qu'imprimer. De grandes feuilles passent sous 4 rouleaux à la suite pour être imprimées en couleurs : le jaune (J), le bleu (B), le rouge (R) et le noir (N). Les feuilles sont ensuite pliées et reliées à part.

COMMUNIQUER AU LOIN

Pendant des siècles, pour communiquer à distance, les hommes imaginent des signaux visuels et sonores ou envoient des messagers.

En soufflant dans ce coquillage (une conque), cet Inca donne l'alerte !

Ce guetteur du Moyen Âge signale le retour des guerriers victorieux.

Cet Indien communique avec sa tribu grâce à des signaux de fumée codés.

Très longtemps, des messagers ont parcouru des kilomètres par tous les temps pour transmettre des informations importantes à travers leur pays.

On a aussi utilisé les pigeons voyageurs pour livrer des messages.

LE TÉLÉGRAPHE

Avant l'utilisation de l'électricité, on a imaginé envoyer des messages codés à l'aide de bras articulés disposés sur des collines.

Au XVIIIe siècle, les bras mécaniques du télégraphe sont installés sur des tours espacées de plusieurs kilomètres. Chaque position des bras représente un message que le télégraphiste observe à la longue vue et transmet à la tour suivante.

Grâce à l'électricité, l'Américain Samuel Morse invente au XIXe siècle un télégraphe électrique. Chaque lettre est codée par des signaux électriques brefs ou longs transmis par des fils. Ces signaux arrivent sous forme de points et de traits qu'il faut décoder.

LE TÉLÉPHONE

Après l'apparition du télégraphe, Graham Bell invente le micro et l'écouteur : il transforme alors le télégraphe en téléphone.

Le premier téléphone possède un cornet qui sert à la fois de micro et d'écouteur. Le micro transforme la voix en signaux électriques qui sont transmis par les fils. L'écouteur est capable de reproduire cette voix.

Rapidement, le téléphone possède un micro et un haut-parleur séparés, mais on ne compose pas encore de numéro. En tournant une manivelle, on obtient un standard et une employée nous met en relation avec notre correspondant.

Aujourd'hui, grâce à des millions de kilomètres de fils et des centaines de satellites, le réseau du téléphone permet d'appeler dans le monde entier, d'envoyer des images et même de se voir quand on se parle.

Le téléphone possède ensuite un cadran : le numéro du correspondant se fait directement sans passer par une standardiste. Pour composer le numéro plus rapidement, le cadran est remplacé par des touches.

On invente le fax : branché sur la ligne de téléphone, il permet d'envoyer et de recevoir des lettres et des images.

Le téléphone portable fonctionne grâce aux satellites.

Pour pouvoir téléphoner et se faire appeler partout et à tout moment, on invente le téléphone portable.

Le visiophone est un téléphone avec un écran qui permet de voir la personne que l'on a en ligne.

LA RADIO

La radio transmet des sons grâce à des ondes. Ce sont de minuscules vibrations invisibles qui se déplacent dans l'air.

En 1897, l'Italien Marconi invente le télégraphe sans fil, un système sans fil pour adresser des messages codés.

Puis la radio transmet le son de la voix. Le poste prend beaucoup de place et il faut des écouteurs pour bien entendre.

Les postes sont ensuite dotés d'un gros haut-parleur. Comme il n'y a pas encore la télévision, toute la famille se réunit devant la radio pour suivre les émissions. Enfin, le transistor, plus petit et qui fonctionne avec une pile, s'emporte partout.

LA TÉLÉVISION

Pour transmettre des images, on invente la télévision. Les premiers postes sont énormes avec de petits écrans.

C'est un Écossais qui présente en 1926 les premières retransmissions télévisées. La caméra transforme les images en signaux électriques qui sont ensuite traduits en images. Les premiers programmes sont diffusés en 1936, mais les postes sont rares.

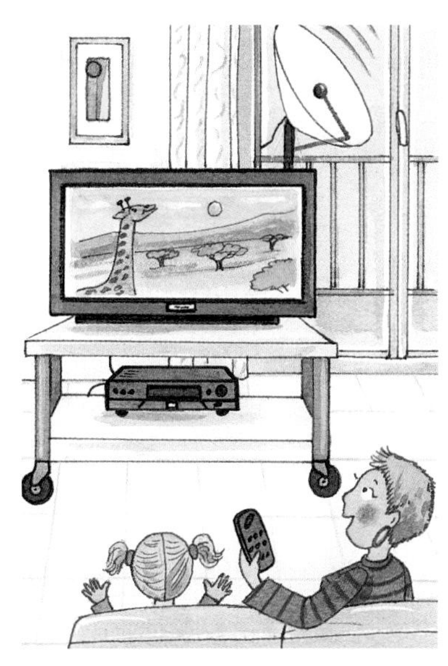

Les images sont d'abord en noir et blanc, puis, en 1960, apparaît la télévision en couleurs. Il n'y a encore qu'une seule chaîne. Aujourd'hui, la parabole et le satellite nous permettent de capter une multitude de chaînes.

LA PHOTOGRAPHIE

Pour dessiner des scènes, des objets et des paysages, le Français Nicéphore Niepce invente la photographie en 1816.

Niepce utilise une découverte chinoise vieille de plus de 2 000 ans : la chambre noire. Dans cette boîte, la lumière entre par un trou (l'objectif) et une image se forme à l'envers sur le papier tendu à l'arrière. On peut alors dessiner l'image sur le papier.

Nicéphore Niepce souhaite que l'image se fixe sans qu'il soit nécessaire de dessiner. Il place dans la chambre noire une plaque d'étain recouverte d'un produit sensible à la lumière. Il ouvre l'objectif et, au bout de plusieurs heures, l'image apparaît sur la plaque.

Au XIXe siècle, les appareils photo sont en bois. Ils pèsent si lourd qu'il faut les poser sur un pied pour éviter de bouger pendant la prise de vue.

Le photographe regarde dans son appareil à soufflet (la chambre) et règle l'objectif pour avoir une image nette : c'est la mise au point. Il introduit ensuite une plaque de verre et ouvre l'objectif grâce à une poire. Par la suite, l'appareil devient plus petit.

pellicules

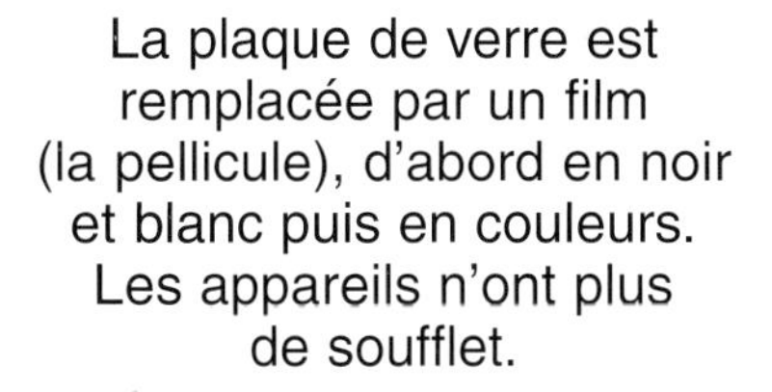

La plaque de verre est remplacée par un film (la pellicule), d'abord en noir et blanc puis en couleurs. Les appareils n'ont plus de soufflet.

Dans les années 1950, on invente des appareils qui développent et sortent le tirage en quelques secondes.

Aujourd'hui, les appareils numériques n'ont plus de pellicules : l'image peut être directement vue sur un ordinateur.

LE CINÉMA

Après les images fixes on invente les images animées. Un film est fait de milliers d'images qui défilent très vite les unes après les autres.

Avant l'invention du cinéma, on a cherché à animer des images. Ce jouet de 1879 montre des petits personnages qui bougent lorsqu'on fait tourner le disque sur lequel ils se trouvent. Un seul spectateur peut regarder par la fenêtre s'animer les figurines.

Juste avant l'invention du cinéma, les projections se font avec une lanterne magique. La lumière est projetée à travers des plaques de verre sur lesquelles figurent des images. Les images apparaissent en très grand sur l'écran. Elles ne bougent pas encore, mais les spectateurs sont ravis.

Ce sont deux frères, Louis et Auguste Lumière, qui mettent au point en 1895 le premier appareil de projection de photographies animées. Une manivelle entraîne le film. Les images défilent très vite sur l'écran.

La première projection des frères Lumière est un succès. Plusieurs petits films sont projetés. L'un d'entre eux montre l'arrivée d'un train en gare ; les spectateurs sont tellement surpris qu'ils pensent que ce train va traverser l'écran et les écraser !

Les films sont d'abord muets et projetés en noir et blanc. Un musicien joue du piano pour accompagner le film.

Quelques années plus tard, les films ont une bande-son avec des paroles et de la musique, puis le cinéma est en couleurs.

Avant de projeter les images, il faut les enregistrer. Les frères Lumière élaborent la première véritable caméra de cinéma qu'ils actionnent avec une manivelle.

Le fusil photographique comporte un disque avec de la pellicule. Les photos sont prises les unes à la suite des autres.

En 1888, Étienne Marey construit le fusil photographique (1), avec lequel, plusieurs fois par seconde, il photographie un homme en mouvement (2). En projetant les images très vite les unes après les autres, on voit le personnage se déplacer (3).

La première caméra ressemble à une boîte en bois avec une manivelle. Lorsque le cameraman tourne la manivelle, le film avance, l'objectif s'ouvre et l'image est prise. En tournant de façon régulière, le film ne tressaute pas ensuite lors de la projection.

ENREGISTRER LES SONS

Avant d'inventer la radio, on cherche à enregistrer le son de la voix. C'est ainsi que le phonographe à rouleau est mis au point en 1877.

Pour enregistrer la voix, il faut tourner la manivelle du phonographe et parler dans le micro. Un sillon correspondant au son est gravé dans un rouleau. Pour écouter l'enregistrement, il suffit de remplacer le micro par un porte-voix et de tourner la manivelle.

Quelques années plus tard, le rouleau est remplacé par le disque, plus solide, plus pratique. Le son est de meilleure qualité et peut être reproduit à des milliers d'exemplaires. Entre chaque disque, il faut remonter le phonographe.

Puis le tourne-disque électrique est inventé. Des haut-parleurs diffusent la musique. On peut désormais régler le volume du son. Les premiers magnétophones sont apparus en 1898.

Le tourne-disque tient dans une petite valise. Deux tailles de disques existent. L'électrophone apparaît ensuite, deux enceintes stéréo donnent un meilleur son. Aujourd'hui, les petits disques compacts se lisent sur une platine laser ou un baladeur.

Sur les premiers magnétophones, les sons sont enregistrés sur de grosses bandes magnétiques, puis apparaissent les cassettes et les magnétophones portables. Désormais, même les tout-petits ont un lecteur de cassettes.

LA VIE QUOTIDIENNE

LA DÉCOUVERTE DU FEU

Quand l'homme a compris que le feu apportait de la chaleur et de la lumière, il a essayé de le faire naître.

Les premiers hommes découvrent qu'un volcan en éruption libère de la lave qui brûle tout sur son passage et que la décharge électrique de la foudre met le feu aux herbes sèches, aux arbres morts et cuit la viande des bêtes mortes.

L'homme parvient à capturer le feu et s'en sert pour se chauffer, s'éclairer, se protéger et cuire ses aliments. Il durcit le bout des branches pour en faire des armes. Il veille sur le foyer et emporte les braises quand il change de campement.

Puis notre ancêtre préhistorique, l'homo erectus, découvre par hasard comment allumer du feu il y a environ 500 000 ans.

En frappant deux pierres de silex, l'homo erectus constate que des étincelles jaillissent et qu'elles mettent le feu aux brindilles. Puis il observe que deux morceaux de bois secs frottés l'un contre l'autre s'échauffent, faisant s'enflammer l'herbe sèche.

Le silex reste longtemps utilisé à la maison.

Les premières allumettes nous viennent des Romains.

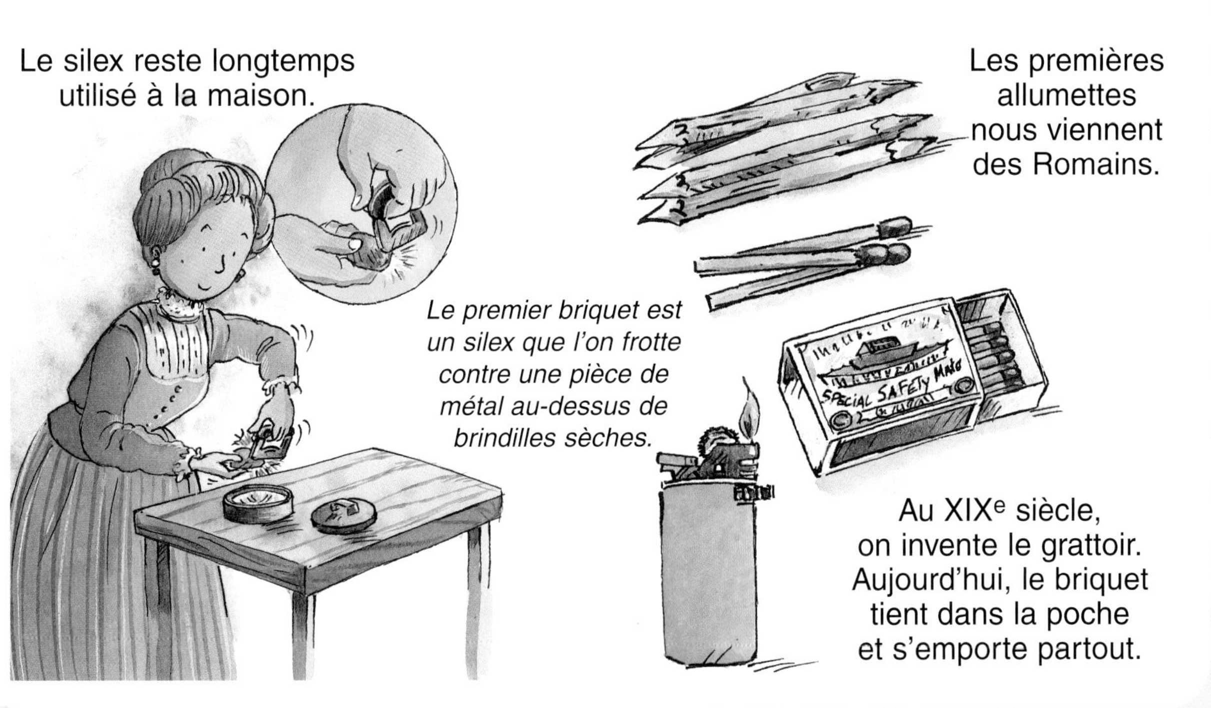

Le premier briquet est un silex que l'on frotte contre une pièce de métal au-dessus de brindilles sèches.

Au XIXe siècle, on invente le grattoir. Aujourd'hui, le briquet tient dans la poche et s'emporte partout.

L'AGRICULTURE

Les hommes préhistoriques vivent de la chasse, de la pêche et de la cueillette avant de découvrir l'agriculture.

C'est en constatant que des graines sauvages tombées à terre donnent naissance à de nouvelles pousses que les hommes ont eu l'idée de planter des graines. Ils inventent ainsi l'agriculture.

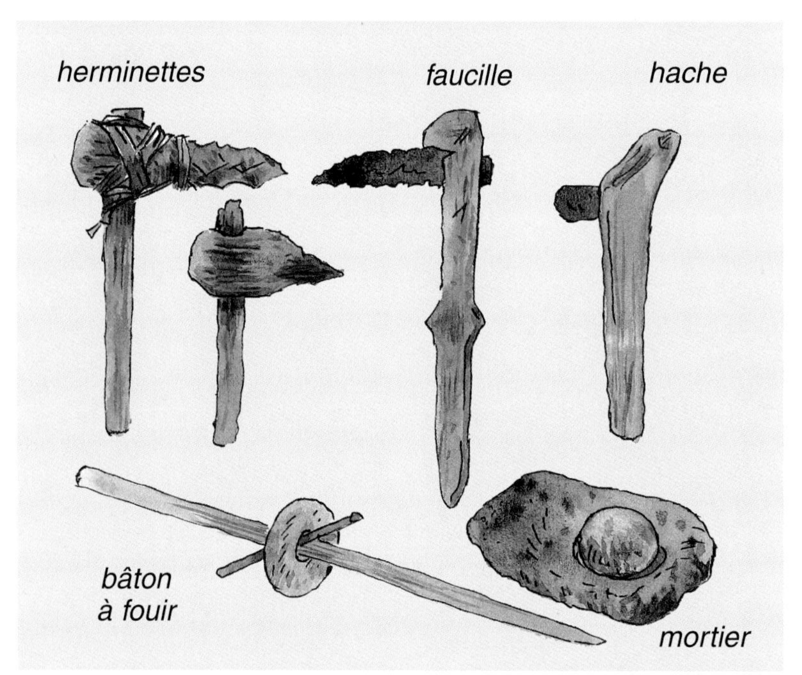

Pour semer et récolter, les hommes fabriquent de nouveaux outils : l'herminette pour casser les mottes de terre et creuser des sillons. Le bâton à fouir pour planter les graines et la faucille pour couper le blé. La hache apparaît tandis que le mortier est inventé pour écraser les grains.

LA CHARRUE

Au fil des siècles, les outils sont perfectionnés et d'autres sont inventés. On utilise la force des animaux et, plus tard, la puissance des moteurs.

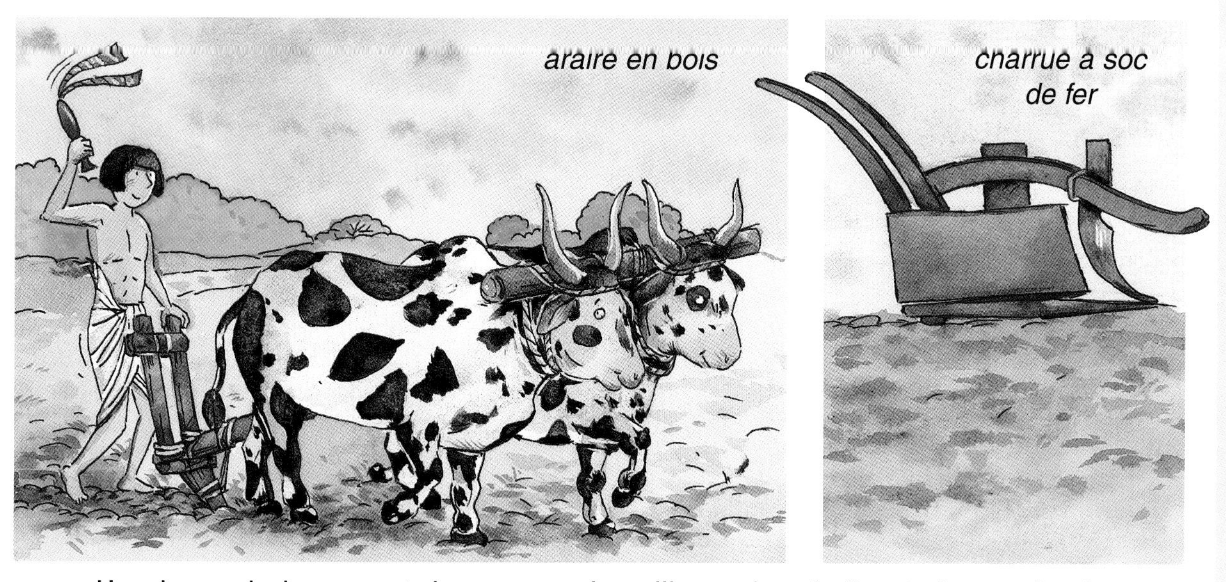

L'araire en bois permet de creuser des sillons plus droits et plus profonds pour mieux planter les graines. La charrue avec un soc en fer retourne plus efficacement la terre, elle est utilisée au Moyen Âge et jusqu'à la fin du XIXe siècle.

À partir du XVIIIe siècle, les charrues sont entièrement fabriquées en métal. Plus légères, elles creusent la terre plus profondément. D'abord tirées par des chevaux, elle sont aujourd'hui tractées par des tracteurs et font plusieurs sillons à la fois.

DES OUTILS POUR MOISSONNER

L'invention et l'amélioration des machines agricoles rendent le travail plus rapide, moins difficile et les récoltes deviennent plus abondantes.

Les Gaulois inventent la première moissonneuse pour récolter le blé. Des dents en fer arrachent les épis qui tombent dans une caisse en bois. Mais, pendant des centaines d'années encore, on fauche les blés à la faux. C'est un travail épuisant.

Aux États-Unis, au XIXe siècle, est inventée la faucheuse-lieuse. Tout en parcourant le champ, la machine fauche les blés et les assemble en gerbes directement.

Une fois les blés moissonnés, il faut les battre pour détacher les grains. Ce travail était autrefois long et pénible. La batteuse à vapeur est ensuite apparue au XIXe siècle.

La batteuse remplace le battage au fléau. Actionnée par une machine à vapeur qui fonctionne au charbon, elle sépare les grains des épis. La batteuse, placée dans la cour d'une ferme, sert à plusieurs paysans.

De nos jours, la moissonneuse-batteuse coupe les blés et les avale. À l'intérieur de la machine, les épis sont battus. Les grains tombent alors dans la remorque, tandis que les tiges (la paille) tombent sur le sol pendant que la machine parcourt le champ.

L'IRRIGATION

Pour pousser, les cultures ont besoin d'eau. Dès l'Antiquité, les agriculteurs inventent des systèmes pour amener l'eau dans les champs.

Les Égyptiens creusent des rigoles dans les champs qu'ils remplissent avec l'eau du fleuve. Le chadouf leur sert à puiser l'eau. En Grèce est inventée une grosse vis qui, lorsqu'on la tourne, remonte l'eau du fleuve vers les canaux.

Aujourd'hui, pour arroser leurs grands champs, les agriculteurs emploient des arroseurs modernes. Une pompe à moteur aspire de l'eau dans des rivières ou des canaux et cette eau est pulvérisée comme de la pluie au-dessus des cultures.

CONSERVER LES ALIMENTS

Les aliments qui ne sont pas mangés rapidement s'abîment et sont perdus. Il a fallu trouver des moyens pour les conserver.

À la préhistoire, les tranches de viande et les filets de poisson sont séchés au soleil, ainsi ils restent mangeables plus longtemps. Les grains sont stockés dans un grenier surélevé ou dans un trou creusé dans le sol, tapissé d'argile et bien fermé.

Un autre système pour conserver la viande et le poisson consiste à les placer au-dessus d'un feu pour les fumer. Afin que les glands ne pourrissent pas, ils sont grillés. Les Gaulois, eux, conservent la viande en la salant et en la plaçant dans des jarres.

Les hommes ont compris très tôt que le froid aide à la conservation des aliments. Ils ont donc inventé des techniques afin d'utiliser la glace naturelle.

Les hommes préhistoriques, à la saison froide, enfouissent les aliments dans le sol gelé. Le froid les congèle.

Puis, jusqu'au XIXe siècle, les hommes cassent et récupèrent la glace des lacs et des étangs gelés en hiver.

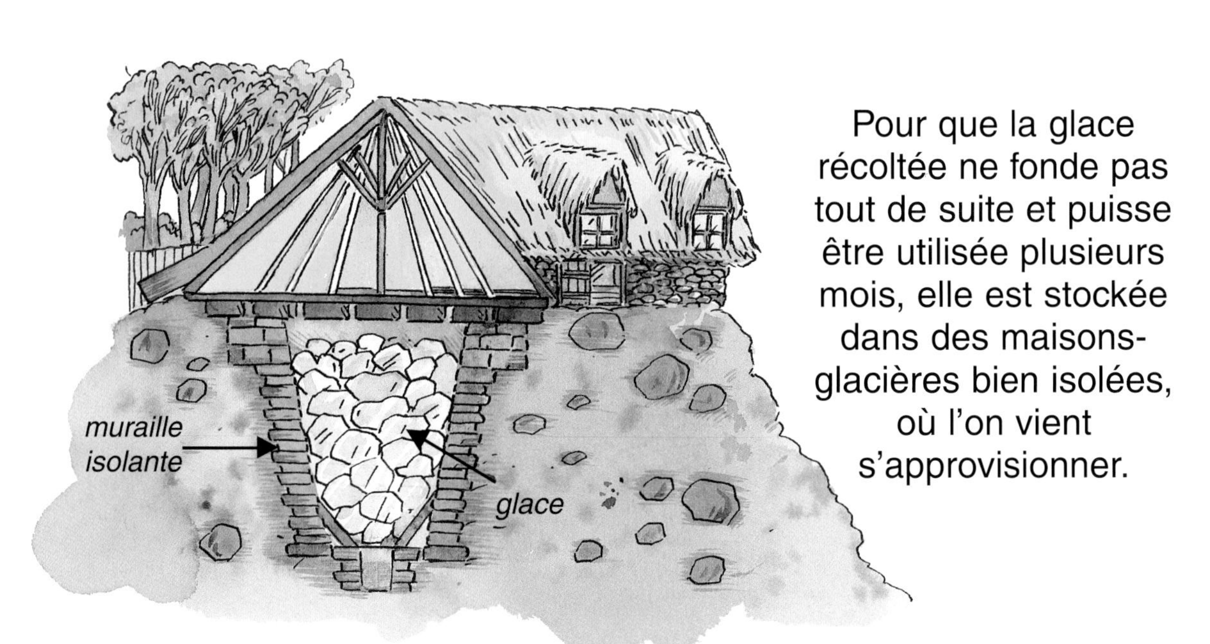

Pour que la glace récoltée ne fonde pas tout de suite et puisse être utilisée plusieurs mois, elle est stockée dans des maisons-glacières bien isolées, où l'on vient s'approvisionner.

Le réfrigérateur et le congélateur sont des machines à fabriquer du froid. Les premiers réfrigérateurs ont été conçus en 1913 aux États-Unis.

une glacière

Au XIXe siècle, des usines fabriquent des pains de glace qui sont livrés à la maison et placés dans des glacières. Mais la glace fond assez vite.

Dans le congélateur, la température est de moins 18 °C. Les aliments surgelés s'y conservent plusieurs mois. Dans le réfrigérateur, il fait entre 2 et 5 °C. Les aliments se conservent quelques jours. Le congélateur et le réfrigérateur peuvent faire partie d'un même meuble ou être séparés.

LES CONSERVES EN BOÎTES

C'est un confiseur, Nicolas Appert, qui découvre que la chaleur, tout comme le froid, peut protéger les aliments. Il invente la conserve.

Nicolas Appert plonge pendant quelques minutes dans l'eau bouillante (100 °C) des bouteilles bien bouchées remplies d'aliments. Au bout de plusieurs mois, les aliments sont sains et ont conservé tout leur goût. La très forte chaleur tue les microbes : les aliments ne s'abîment pas.

Des appareils comme l'autoclave sont imaginés pour préparer les conserves à la maison. Les récipients sont chauffés au bain-marie. Les bocaux et les boîtes en fer blanc, plus faciles à remplir et moins fragiles, remplacent les bouteilles.

CUIRE LES ALIMENTS

À partir du moment où l'homme préhistorique a su faire du feu, il a inventé différents moyens de cuire les aliments.

Pour cuire à la broche, on enfile des bouts de viande sur des tiges de bois.

Enveloppé dans une feuille et recouvert de cendres, le poisson cuit doucement.

Pour chauffer l'eau qui est dans l'outre en peau, on y place une pierre brûlante.

Le feu de bois chauffe les pierres du four où sont disposés les pains.

Quand les hommes ont su forger le métal, ils ont fait des marmites.

Depuis les premiers fours à pain préhistoriques jusqu'au four à micro-ondes, les hommes ont imaginé de nombreux modèles d'appareils de cuisson pour faire mijoter ou cuire leurs plats.

Le feu de bois chauffe ce four romain sur lequel on peut faire cuire les aliments.

Dans les châteaux du Moyen Âge, on fait rôtir le gibier, mijoter les soupes et bouillir l'eau dans de grandes cheminées.

Au XIXe siècle, la cuisinière en fonte apparaît. Un compartiment est prévu dans lequel brûle le bois ou le charbon qui va chauffer le four, les plaques et la pièce. Puis apparaît la cuisinière à gaz.

Aujourd'hui, il existe des plaques chauffantes et des fours qui fonctionnent à l'électricité ou au gaz. Le four à micro-ondes réchauffe les aliments en quelques minutes.

LES PREMIERS RÉCIPIENTS

Les hommes préhistoriques fabriquent les premiers récipients en argile pour stocker les aliments et transporter l'eau.

L'argile durcit en séchant au soleil. Les hommes ont donc eu l'idée d'utiliser l'argile pour fabriquer des récipients. Pour cela, ils façonnent une boule d'argile (1), collent des boudins les uns sur les autres (2) ou ils moulent une galette de terre dans un panier (3).

Les poteries sont mises à cuire entre plusieurs épaisseurs de bois. Le potier souffle sur le feu pour l'activer.

Puis les Mésopotamiens inventent le tour. Le potier fait tourner une planche sur laquelle se trouve la poterie à façonner.

À TABLE !

Les couteaux existent depuis la préhistoire. Les fourchettes et les assiettes sont apparues bien plus tard.

Avec des morceaux de silex taillés en pointe, on découpe la viande.

Dès qu'on a su fondre les métaux, des couteaux en fer et en bronze ont existé.

Quand les fourchettes sont inventées, les couteaux deviennent moins pointus.

À l'époque romaine, les convives se servent directement dans le plat. Au Moyen Âge, on pose son morceau de viande sur une large tranche de pain, le tranchoir. On mange sa soupe dans une écuelle en bois.

Dans l'Antiquité, les gobelets sont en terre cuite, puis les hommes découvrent comment fabriquer du verre à partir d'un mélange de sable et de chaux.

coupes, carafes, vases et verres anciens.

Les Égyptiens taillent des verres dans de la pierre transparente : l'albâtre.

Les artisans mésopotamiens découvrent comment souffler le verre quand il est chaud et mou. Ils obtiennent ainsi toutes sortes de récipients.

Au Moyen Âge, dans les maisons riches, on s'essuie la bouche et les doigts avec un pan de la nappe. À la Renaissance, apparaît la serviette de table qu'on porte sur l'épaule. Quand vient la mode des grands cols, on noue sa serviette autour du cou.

UNE AIGUILLE POUR COUDRE LES VÊTEMENTS

Pour lutter contre le froid, les hommes préhistoriques se protègent avec des peaux de bêtes. Pour les assembler, ils ont inventé l'aiguille.

Les pièces de peau, juste posées sur les épaules, ne couvrent pas bien le corps et laissent passer le vent.

Avec l'aiguille en os ou en ivoire, on assemble des morceaux de peau. Les vêtements sont plus chauds.

La peau est très épaisse et difficile à percer. Il faut faire le trou avec un poinçon en os ou en bois. Le fil, solide, est fait avec des boyaux d'animaux qu'on mâchonne longtemps pour les assouplir. L'aiguille permet de coudre également des tentes et des outres pour contenir l'eau.

LA LAINE, LE LIN ET LE COTON

Il y a environ 10 000 ans, les hommes découvrent comment utiliser les fibres pour se confectionner des vêtements et des couvertures.

La laine

Très tôt, on s'aperçoit que la laine de mouton tient chaud.
Les hommes pensent alors à tondre ces animaux pour récupérer leur laine et s'en faire des vêtements.

Le coton

Dans les pays chauds et humides pousse le cotonnier. Le fruit de cette plante contient des graines et surtout des petites touffes de fibres que l'on a pensé à filer et à tisser.

Le lin

Le lin est aussi une plante. Les tiges sont arrachées, puis plongées dans l'eau plusieurs jours. Elles sont ensuite battues et peignées avant d'être tissées.

Avant de tisser ou de tricoter la laine, il faut la filer.
Aujourd'hui, des machines font cette opération mais, autrefois, on s'est servi d'un fuseau puis d'un rouet.

La laine est d'abord démêlée à l'aide de deux gros peignes. Les fils sont ensuite tortillés puis enroulés sur un fuseau pour être étirés.

Au Moyen Âge, des voyageurs rapportent d'Inde le rouet : la laine, entraînée par une roue, est filée plus vite et plus finement. Par la suite, le filage devient mécanique et se fait grâce à des machines.

LE MÉTIER À TISSER

Sur le métier à tisser, les fils sont tendus et entrecroisés très serrés pour obtenir un tissage. Les premiers métiers datent de la préhistoire.

peigne pour serrer le tissage

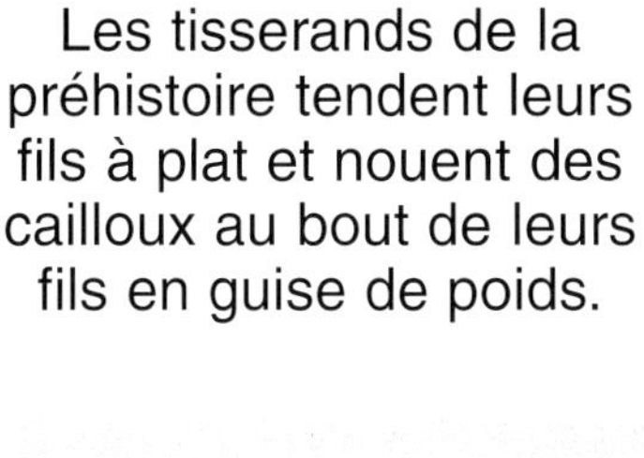

Les tisserands de la préhistoire tendent leurs fils à plat et nouent des cailloux au bout de leurs fils en guise de poids.

Les Gaulois fabriquent de grandes pièces d'étoffes sur des métiers verticaux. En mélangeant les fils de couleurs, ils créent des motifs.

Au Moyen Âge, le métier à tisser se perfectionne. La tisserande peut travailler assise.

Au XIXe siècle, on invente des métiers à tisser mécaniques qui sont plus rapides et tissent de grandes longueurs.

Désormais, des machines fabriquent des kilomètres de tissu qui s'enroulent sur d'énormes bobines.

COLORER LES TISSUS

Dès la préhistoire, les hommes trouvent comment donner de belles couleurs à leurs étoffes.

Ces étoffes qui viennent d'être tissées sont encore grises. Les hommes préhistoriques se sont aperçus que les rayons du soleil blanchissaient certains textiles comme le lin.
Ils les étendent alors au soleil.

Très tôt, les étoffes sont colorées dans des bains chauds de teinture à partir de colorants naturels.
La coquille du murex broyée colore les tissus en rouge.
Les plantes comme l'indigotier ou le pastel teintent en bleu.

LE SECRET DE LA SOIE

Selon la légende, l'épouse d'un empereur chinois aurait découvert la soie il y a 5 000 ans en retirant le cocon d'un papillon tombé dans sa tasse...

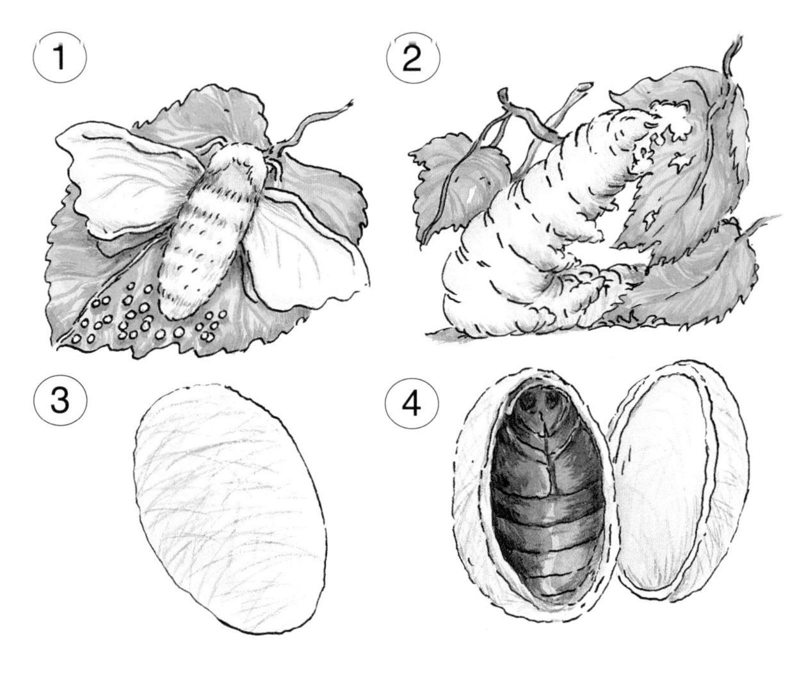

1 - La femelle du papillon bombyx pond ses œufs sur une feuille de mûrier.
2 - 3 - Peu après sa naissance, la larve se transforme en chenille. Elle sécrète un fil de soie pour fabriquer son cocon.
4 - À l'intérieur, la chenille se change en papillon qui pondra à son tour des œufs.

Les Chinois puis les Européens élèvent des vers à soie pour obtenir de la soie fine utilisée dans le tissage des étoffes précieuses. Les cocons faits par les vers sont ramollis dans de l'eau bouillante, puis les fils très fins sont déroulés.

LAVER LE LINGE

Quel dur travail de laver les vêtements ! Autrefois, il fallait emporter le linge à la rivière ou au lavoir ou même apporter de l'eau à la maison.

Au lavoir ou à la rivière, par tous les temps, les femmes savonnent le linge, le frottent et le battent pour l'essorer.

Puis le bac à linge est inventé pour laver les affaires à la maison, mais il faut encore aller chercher l'eau à la fontaine et la faire chauffer !

Vers 1830, on actionne une manivelle et le linge est brassé dans une cuve en bois pleine d'eau savonneuse.

Pour que le linge blanc soit plus propre, il faut le faire bouillir. On utilise la lessiveuse à vapeur : l'eau bouillante monte dans le cylindre et retombe sur le linge.

Enfin, les machines électriques lavent le linge à la température choisie et l'essorent.

REPASSER

Brassés, battus, essorés, séchés... les vêtements qui viennent d'être lavés sont chiffonnés. Avant de les porter, il faut les repasser.

Il y a 1 500 ans, les Chinois utilisent une casserole de braises. Puis on invente divers fers, comme celui pour repasser les cols à la Renaissance.

Fer dans lequel on place des braises.

Premier fer électrique.

Fer électrique avec centrale à vapeur.

Les fers étaient lourds et très chauds.

Pendant que l'un des deux fers chauffe, l'autre est utilisé.

Les premiers fers sont en fonte, on place de la braise dans certains, d'autres sont chauffés sur un poêle. Puis apparaît le fer électrique.

BALAIS ET ASPIRATEURS

Pendant très longtemps, le sol des maisons était en terre battue. Il n'y avait pas de carrelage à laver ou de tapis à brosser.

Au Moyen Âge, des feuilles et des herbes parfumées sont étalées sur le sol et remplacées régulièrement.

Au XVIIe siècle, du sable recouvre le sol pour absorber les saletés. Il est changé quand passe le marchand de sable.

Ensuite, les sols sont recouverts de pierre ou de carrelage. Pour les lessiver, on invente un balai-laveur en corde.

En 1876, l'Américain Bissel fabrique le balai mécanique. Une brosse tourne et envoie la poussière dans une caissette.

En 1901, pour bien dépoussiérer les tapis qui couvrent le sol de certaines maisons, on invente l'aspirateur. Une hélice qui tourne très vite aspire l'air et la poussière.

Au tout début de son invention, l'aspirateur est très encombrant. Il est installé sur une charrette dans la rue et les tuyaux sont passés par les fenêtres. L'hélice est entraînée par un moteur à essence qui fait beaucoup de bruit et dégage de mauvaises odeurs.

L'aspirateur à soufflet, plus pratique, est utilisé peu après.

En 1910, aux États-Unis, est fabriqué le premier aspirateur électrique.

Puis on invente l'aspirateur à traîneau que nous connaissons.

FAIRE SA TOILETTE

Selon les civilisations, la toilette n'a pas eu la même importance et, pour de nombreux peuples, la propreté n'était pas essentielle.

Les riches Égyptiens se font aider de leurs esclaves pour se laver.

Les Romains inventent les thermes, des bains publics avec des bassins chauffés. Ils s'enduisent le corps d'huile parfumée et ôtent la saleté avec une spatule.

Les Gaulois fabriquent du savon avec de la graisse, de la cendre et des plantes.

Au Moyen Âge et à la Renaissance, les bains sont rares et seuls les plus riches utilisent des baquets remplis d'eau chauffée dans la cheminée.

Pendant longtemps, l'eau n'arrive pas dans les maisons, il faut aller la chercher à la fontaine ou au puits et la rapporter. Les salles de bains n'existent pas encore.

Avant la baignoire, une cuvette et un broc servent à faire sa toilette. L'eau n'est pas toujours chauffée. Lorsque la baignoire apparaît, les gens riches en louent. On leur apporte à domicile. La baignoire se répand, mais il reste à faire chauffer l'eau.

Le premier chauffe-bain à gaz est inventé en 1860, puis les chauffe-eau à gaz ou électriques apparaissent. Aujourd'hui, la plupart des maisons ont une salle de bains. On peut y prendre une douche ou un bain bien chauds.

LES MIROIRS

Très tôt, la surface lisse et brillante de l'eau ou de certaines pierres a servi de miroir. On a ensuite cherché à les fabriquer.

Pendant des milliers d'années, la seule façon de voir son reflet est de se regarder dans l'eau des lacs ou des flaques.

Les hommes découvrent aussi que certaines pierres volcaniques sont réfléchissantes et leur renvoient leur image.

Les Égyptiens se regardent dans des miroirs en argent et en fer qu'ils frottent pour les rendre brillants.

Puis des verriers allemands inventent le miroir actuel, il est encore très lourd.

SE MAQUILLER

Dès l'Antiquité, les hommes et les femmes ont cherché dans la nature des substances (poudre de pierre, plantes) pour s'embellir et sentir bon.

Les Égyptiens soulignent leurs yeux avec une poudre noire : le khol.
Ils fardent leurs joues avec un mélange de poudre de fer et de graisse animale.
On place aussi un cône de graisse sur sa perruque qui, en fondant sur la chevelure, répand une odeur parfumée.

Cette esclave romaine blanchit la peau de sa maîtresse avec un mélange de lait d'ânesse, de farine et de craie.

Dans l'Antiquité, on se colore les lèvres avec le dépôt du vin. Puis le rouge à lèvres à base de graisse est inventé.

SE RASER

Autrefois, pour se raser, les hommes allaient souvent chez le barbier, qui était aussi coiffeur.

Les jeunes Égyptiens se font raser le crâne avec une lame de cuivre.

À partir du Moyen Âge, on utilise le coupe-chou. Il faut être adroit.

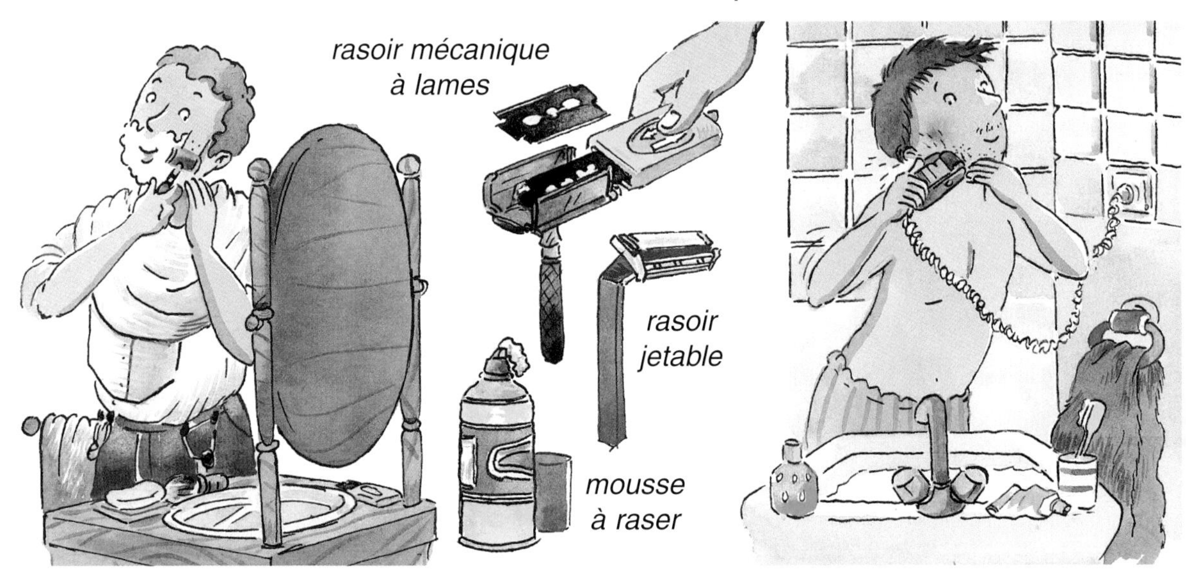

Au début du XXe siècle, le rasoir mécanique et ses lames jetables apparaissent aux États-Unis. Depuis 1930, le rasoir est électrique, le savon n'est plus nécessaire et on ne se coupe plus. Beaucoup d'hommes préfèrent néanmoins le rasoir à lames.

LES TOILETTES

Pendant très longtemps, les hommes ont fait leurs besoins dans la nature, puis ils ont inventé le pot et ont réservé des lieux pour les toilettes.

Les toilettes romaines sont prévues pour plusieurs personnes.

Dans les châteaux du Moyen Âge, les besoins tombent dans les douves.

À la même époque, dans les villes, on vide son pot dans une rigole de la rue.

Puis, on utilise une chaise percée renfermant un seau. À chaque passage, il faut verser de la cendre ou de la terre pour éviter les odeurs. Le seau doit être vidé régulièrement. La cuvette et la chasse d'eau apparaissent au XVIIIe siècle.

S'ÉCLAIRER

Les hommes préhistoriques découvrent que la graisse de certains animaux et la résine de sapin brûlent lentement.

lampe à huile

Pour s'éclairer, les hommes font brûler le bout de la torche qui est recouvert d'un mélange de graisse et de brindilles sèches. Ils inventent les premières lampes à huile, en terre ou en pierre, remplies de graisse fondue avec une mèche.

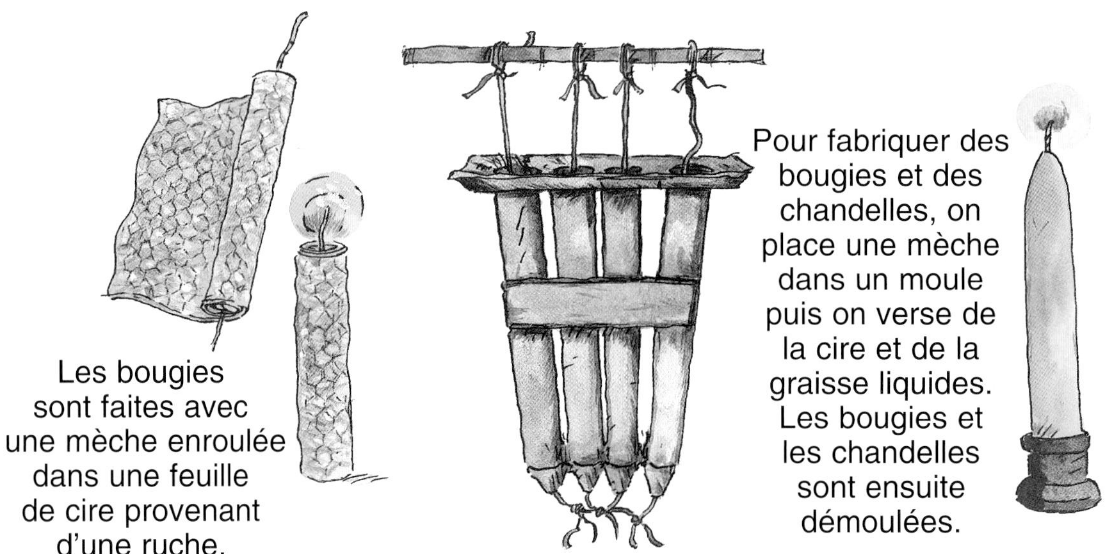

Les bougies sont faites avec une mèche enroulée dans une feuille de cire provenant d'une ruche.

Pour fabriquer des bougies et des chandelles, on place une mèche dans un moule puis on verse de la cire et de la graisse liquides. Les bougies et les chandelles sont ensuite démoulées.

On connaît les bougies de cire d'abeille et les chandelles faites avec de la graisse depuis longtemps. Elles ont été inventées dans l'Antiquité.

Avant l'apparition des lanternes publiques à la Renaissance, les rues ne sont pas éclairées. Au XIXe siècle, les lanternes sont remplacées par les becs de gaz qu'un employé est chargé d'allumer et d'éteindre.

Les premières lanternes de rue fonctionnent à la bougie. Puis les réverbères marchent au gaz. Une personne les allume le soir et les éteint le matin. À la maison, une lampe qui fonctionne au pétrole remplace chandelles et bougies.

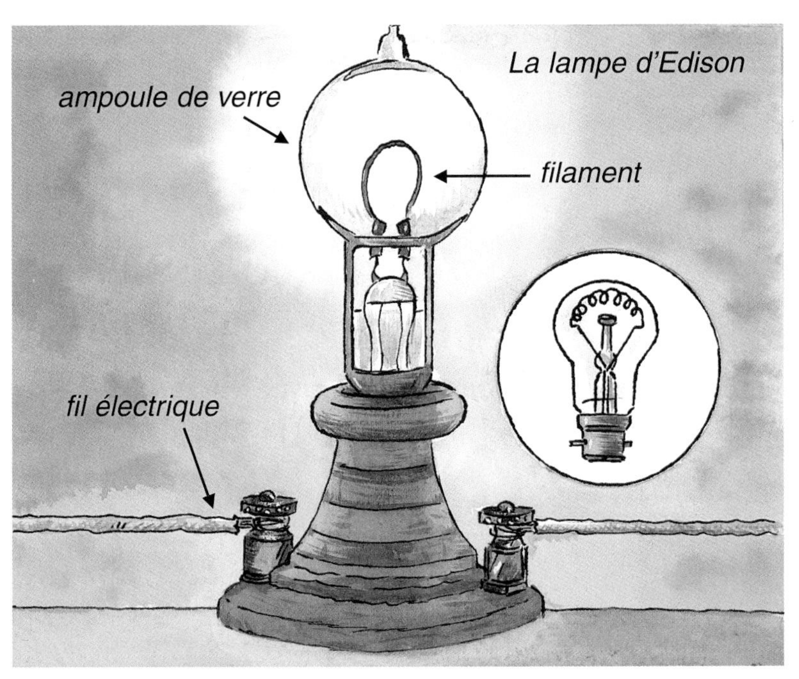

Au XIXe siècle, l'Américain Thomas Edison met au point l'ampoule électrique. C'est une grande invention. Le filament contenu dans l'ampoule est traversé par le courant. Le filament chauffe tellement fort qu'il devient rouge puis blanc et produit ainsi de la lumière.

MESURER LE TEMPS QUI PASSE

C'est en observant la nature, en travaillant à l'extérieur, que les hommes ont pris conscience du temps qui passe et ont cherché à l'évaluer.

En regardant le soleil se déplacer au cours de la journée et remarquant l'ombre qu'il produit, les hommes ont inventé le cadran solaire. Ce cadran placé au soleil, vers le sud, possède un bâton dont l'ombre indique l'heure.

Le temps que met l'eau pour passer d'un seau à l'autre, ou le sable pour s'écouler de haut en bas, ou encore une bougie pour brûler est toujours le même. Ces repères ont aidé les hommes à mesurer le temps.

QUELLE HEURE EST-IL ?

Au Moyen Âge sont inventées les premières horloges mécaniques. Elles sont d'abord installées dans les églises et sur les hôtels de ville.

Grâce à un système de poids, de balancier et de rouages, les aiguilles tournent et indiquent les heures sur le cadran. Régulièrement, il faut remonter les poids pour ne pas que le mécanisme s'arrête. Plus tard, des horlogers simplifient le système de l'horloge et mettent au point les premières montres.

Les montres à gousset étaient accrochées au pantalon et glissées dans la poche. Vers 1980, la montre à quartz ne comporte plus d'aiguilles. Les montres deviennent aussi étanches et ne craignent plus l'eau, elles indiquent la date, servent de chronomètre...

LES MONNAIES

L'idée d'inventer les pièces de monnaie est très ancienne mais, dans le monde, on a longtemps payé avec toutes sortes de marchandises.

Il y a très longtemps, les Chinois payaient avec des coquillages. Les Gaulois faisaient du troc : une belle épée coûtait deux bœufs. Les Aztèques, quant à eux, utilisaient des fèves de cacao : un lapin valait dix fèves.

Les plus anciennes pièces de monnaie ont certainement 2 500 ans. Elles proviennent du royaume de Crésus, dans l'ancienne Turquie. Elles ont été frappées dans un mélange d'or et d'argent dont on trouvait les pépites dans la rivière Pactole. Aujourd'hui, on dit encore « être riche comme Crésus » ou « avoir gagné un gros pactole ». Très longtemps, les pièces ont porté le visage du roi qui régnait.

Bien après les pièces, on a inventé les billets de banque et les chèques. Ils représentent une richesse que l'on doit posséder : on ne peut faire un chèque que si l'on a l'argent correspondant à la banque.

Les Chinois, qui ont inventé le papier, ont aussi imprimé les premiers billets de banque. Ils étaient très grands.

Pour éviter qu'ils soient imités, les billets actuels sont imprimés sur du papier inventé tout spécialement en secret.

Au XXe siècle, on invente le chèque et la carte de crédit pour ne plus avoir à emporter beaucoup de billets et de pièces sur soi. Pour payer ou retirer de l'argent avec sa carte bancaire à un distributeur, il faut composer son code secret.

DES MACHINES POUR COMPTER

Les hommes ont d'abord compté sur leurs doigts puis avec des cailloux. Ensuite, on a inventé le boulier que les Chinois utilisent encore parfois.

Pour compter plus facilement, les Chinois se sont aidés de boules qu'ils faisaient coulisser dans un boulier.

Avec des engrenages et des cylindres, le Français Blaise Pascal fabrique la première machine à calculer.

C'est en Amérique qu'est née la première caisse enregistreuse en 1879, donnant le total de ce que l'on doit.

Aujourd'hui, la calculette contient une puce électronique qui effectue n'importe quelle opération, même difficile.

LES CHIFFRES

Pour compter, l'homme a inventé des signes particuliers, les chiffres. Les chiffres les plus anciens ont été gravés par les Mésopotamiens.

Pour faire des échanges, les hommes ont dû comptabiliser et noter ce qu'ils possédaient. Ce berger mésopotamien compte son troupeau : il a 12 moutons. Pour s'en souvenir, il grave des signes. Le 𒌋 représente 10, le 𒁹 représente 1.

Voici comment plusieurs peuples de l'Antiquité et du Moyen Âge écrivaient le nombre 12. Nos chiffres actuels, que l'on appelle chiffres arabes, viennent d'Inde. Ils ont été rapportés par les Arabes, il y a plus de 1 000 ans.

LES ORDINATEURS ET LES ROBOTS

De moins en moins gros et de plus en plus puissants, les ordinateurs sont l'une des inventions les plus importantes du XXe siècle.

Colossus, le premier ordinateur, est construit aux États-Unis en 1946, il pèse plus de 30 tonnes et il faut une pièce entière pour le loger. En une seconde, il calcule des milliers d'opérations qu'un homme aurait mis des jours et des jours à faire.

Aujourd'hui, l'ordinateur est partout : à la maison, au bureau, à l'école, dans les magasins. Écrire, compter, dessiner, corriger, jouer... Il accomplit toutes ces tâches grâce à des circuits électroniques très compliqués qui ont été étudiés par des ingénieurs.

Dans les années 1960, à l'aide des ordinateurs et de l'électronique, les hommes ont pu mettre au point les premiers robots qui ont tout de suite été utilisés dans l'industrie.

Depuis très longtemps, on a rêvé de machines qui pourraient aider l'homme.

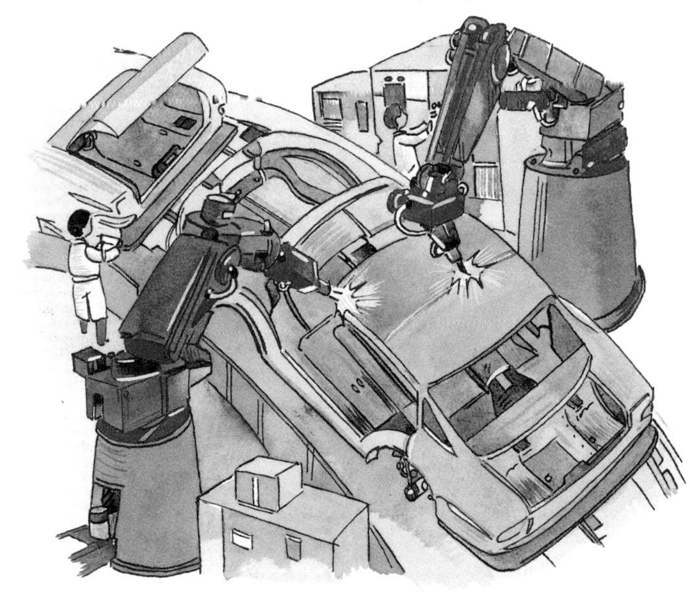

Quand les robots sont apparus, on les a utilisés dans des usines, comme dans l'industrie automobile, pour peindre et souder les carrosseries des voitures.

Pour certaines opérations, les chirurgiens sont désormais aidés par des bras-robots qui obéissent avec précision aux commandes du médecin.

Il existe aussi des robots-jouets comme ces chiens qui réagissent à la voix.

DES LUNETTES POUR MIEUX VOIR

Dans l'Antiquité, les Grecs se servaient déjà de loupes. Ils avaient découvert l'effet grossissant des lentilles de verre.

Au XIIIe siècle, pour mieux voir de près, on assemble deux loupes taillées dans une pierre transparente : le béryl. Les premières lunettes, les besicles, n'ont pas de branches, elles se posent sur le nez. Les branches apparaissent en 1746.

Plus tard, le verre remplace le béryl et on met au point des lunettes permettant de mieux voir loin.

Depuis ont été inventées les lentillles de contact. Souples et invisibles, elles peuvent remplacer les lunettes.

LA LUNETTE ASTRONOMIQUE ET LE MICROSCOPE

Les fabricants de lunettes et savants découvrent un jour comment observer ce qui est très loin et ce qui est minuscule.

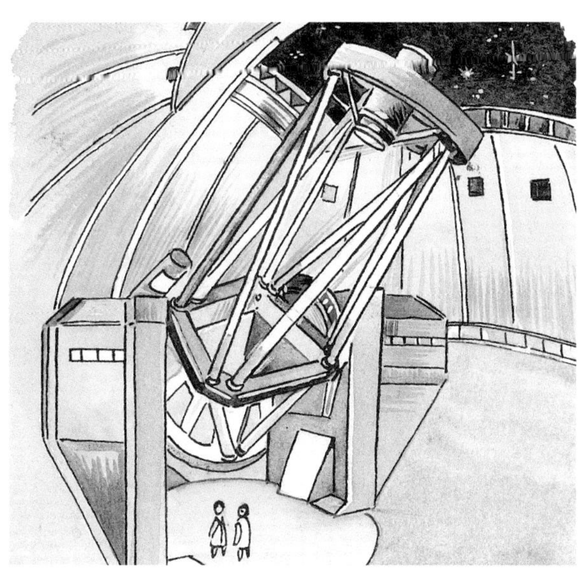

Grâce à sa lunette astronomique, l'astronome italien Galilée, en 1609, observe ce que personne n'a jamais vu jusqu'alors : la surface de la Lune. Aujourd'hui, de puissants télescopes permettent d'observer des étoiles très lointaines.

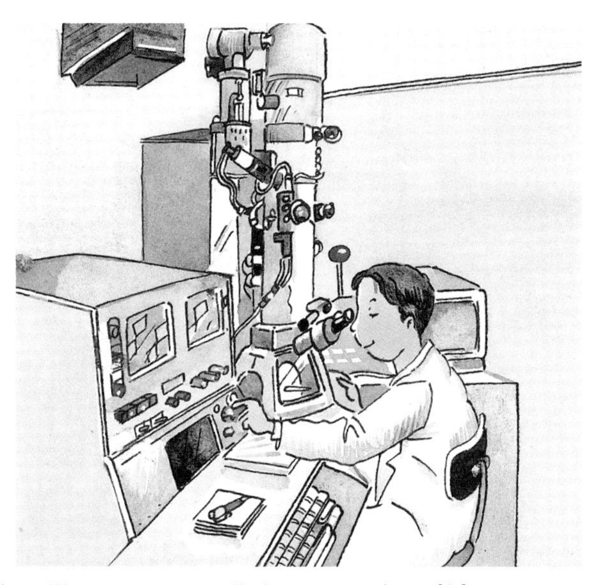

Le microscope, fabriqué à l'aide de deux lentilles, permet d'observer des éléments très petits que l'on ne voit pas à l'œil nu. Grâce à cette invention, la science fait d'immenses progrès. De nos jours, les microscopes électroniques sont très puissants.

JEU DES 7 ERREURS

Dans cette cuisine de château du Moyen Âge ont été dessinés des objets qui n'étaient pas encore inventés à l'époque. Peux-tu les retrouver ?

Réponses **:** 1 - un réveil. 2 - une cafetière électrique. 3 - un réfrigérateur. 4 - une boîte de conserve. 5 - un aspirateur. 6 - une lampe électrique. 7 - un robinet avec l'eau courante.

LA MÉDECINE

LES SOINS

Pendant des siècles, les médecins et sorciers ont soigné les maladies avec des produits naturels (plantes, argile...) et des formules magiques.

Ce sorcier de la préhistoire soulage la douleur de ce blessé en appliquant de l'argile sur la plaie et prie les dieux.

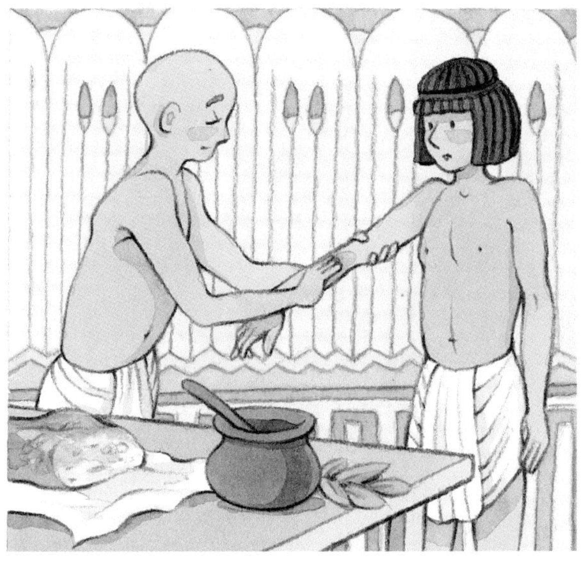

Les prêtres médecins égyptiens déposent du pain moisi sur les plaies. Ils utilisent aussi des plantes calmantes.

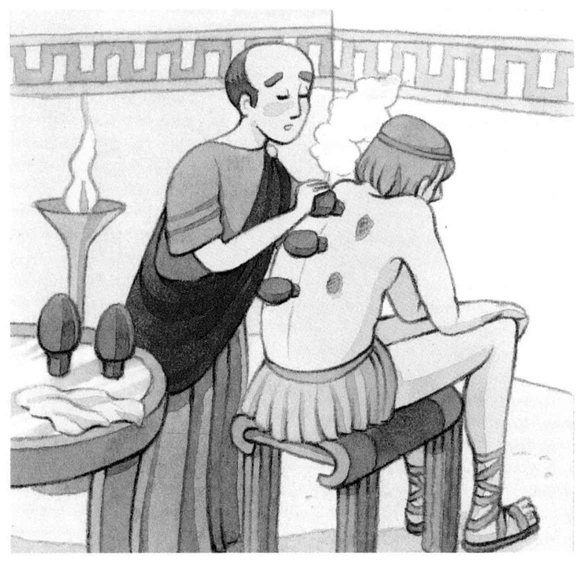

Pendant des siècles, on pose des ventouses en pensant qu'elles font sortir le mal en gonflant la peau.

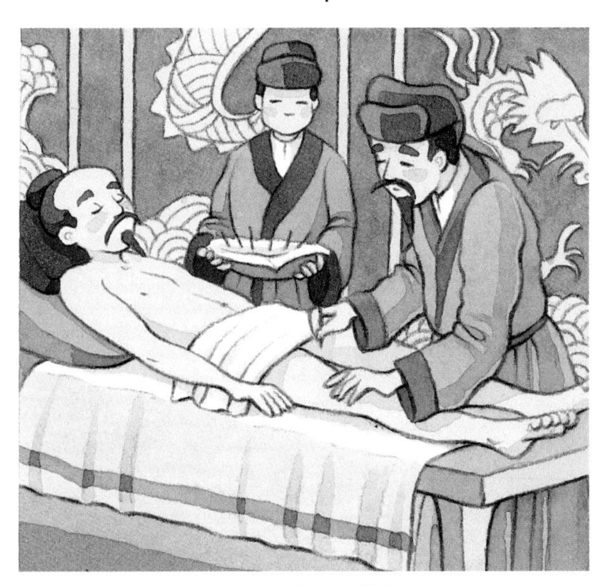

Depuis 3 000 ans, les Chinois apaisent les souffrances en piquant de fines aiguilles à des endroits précis du corps.

Au Moyen Âge, les pratiques ne progressent pas beaucoup ; lorsqu'une personne est malade, le médecin cherche à évacuer le mal à l'aide de ventouses, de sangsues et de saignées, mais cela affaiblit le patient.

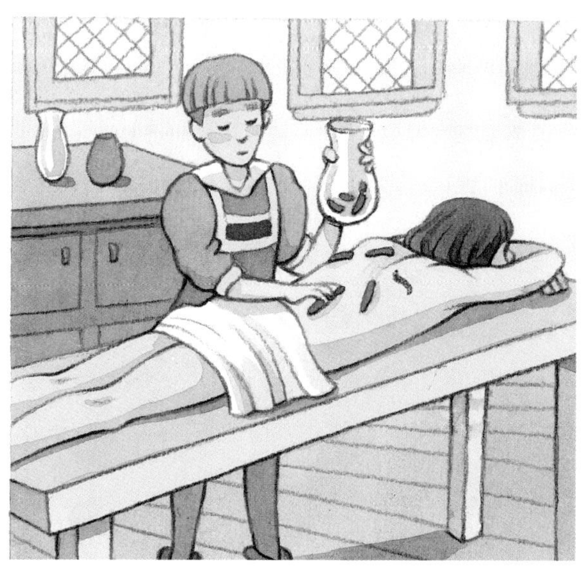

De nombreux médecins font de gros prélèvements de sang à leurs malades, persuadés que cela fait tomber la fièvre et purifie l'organisme. Parfois, ils posent sur le corps de leurs patients des sangsues, des sortes de vers qui sucent le sang.

Au Moyen Âge, on commence à regarder l'aspect des urines. Beaucoup de remèdes sont des tisanes ou sirops à base de plantes et d'épices.

LA DÉCOUVERTE DU CORPS HUMAIN

Jusqu'à la Renaissance, on ne connaît pas bien les organes du corps humain car il est défendu de pratiquer des dissections.

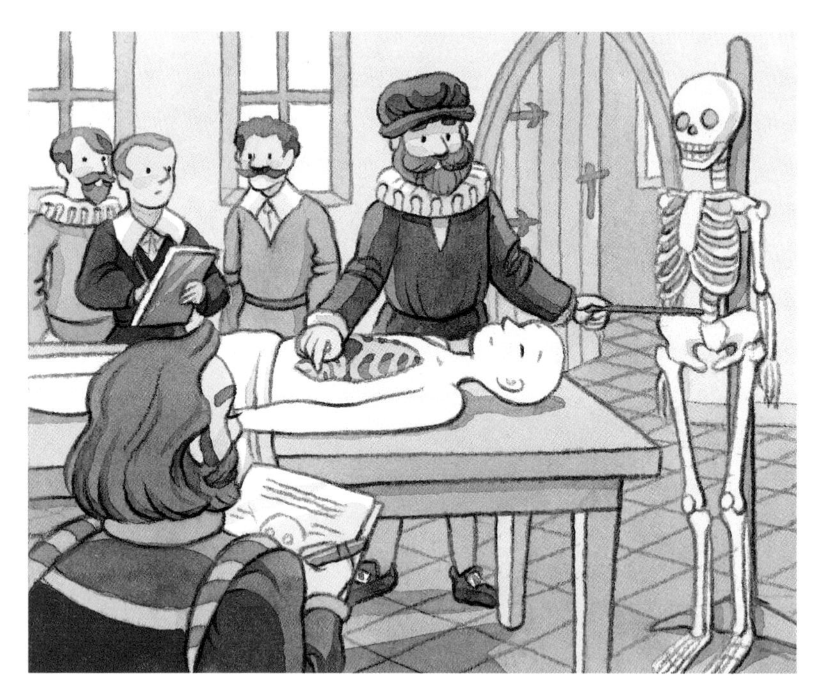

Au début du XVIe siècle, le médecin André Vésale étudie des corps de criminels exécutés. Il observe et décrit pour la première fois des organes, le squelette, les muscles, les nerfs...

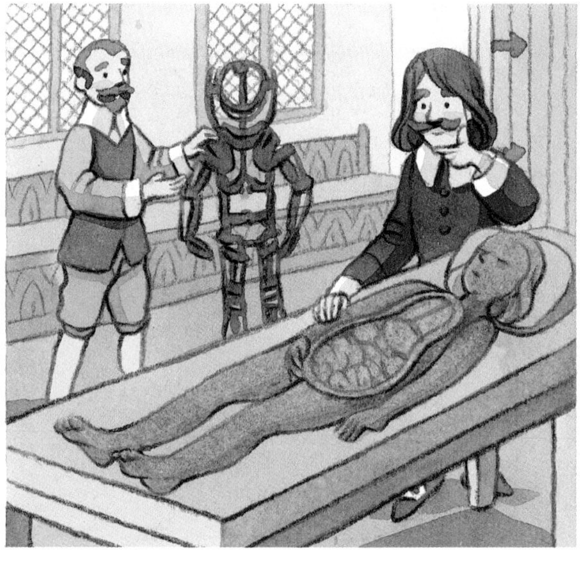

André Vésale, avec l'aide de peintres, réalise un énorme livre rassemblant 300 croquis du corps humain. Puis, grâce à des mannequins en bois et des squelettes en fer, les médecins peuvent enfin étudier les organes, les os et les articulations.

LA CIRCULATION SANGUINE

Un peu plus tard, le médecin anglais William Harvey explique que le sang circule sans arrêt d'un bout à l'autre du corps.

William Harvey découvre qu'en appuyant sur une veine du bras à deux endroits, le sang ne passe plus jusqu'à ce qu'il relâche l'une des pressions. Ainsi, il démontre que le sang circule en permanence dans les veines.

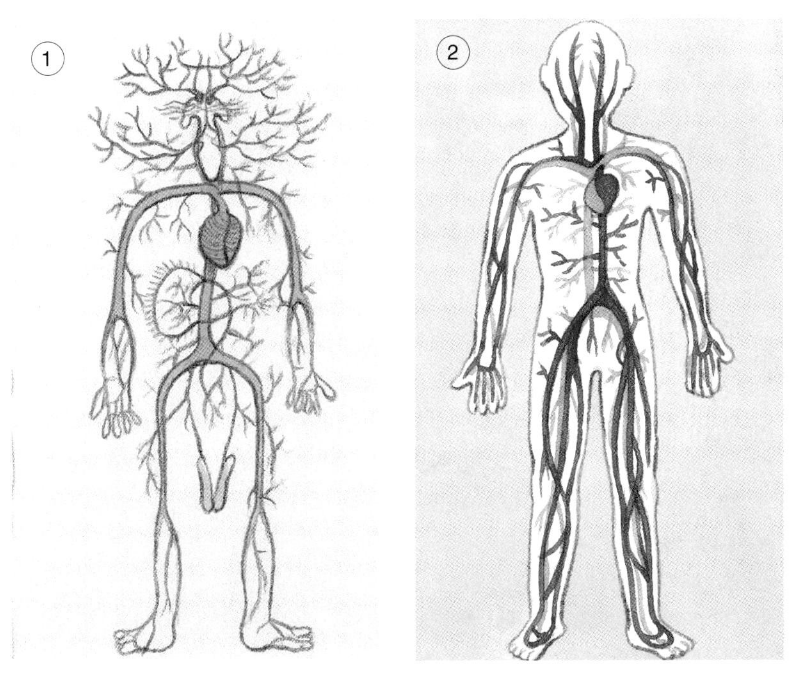

On se rend compte alors que le cœur fonctionne comme une pompe qui envoie le sang dans tout le corps. Le sang transporte ainsi l'oxygène, les vitamines...
Un premier schéma de la circulation sanguine est fait (1) et amélioré jusqu'à celui que nous connaissons aujourd'hui (2).

SE DÉFENDRE CONTRE LES VIRUS ET LES BACTÉRIES

Au XIXe siècle, on découvre que de nombreuses maladies sont provoquées par des organismes microscopiques : les virus et les bactéries.

Les éléments du sang

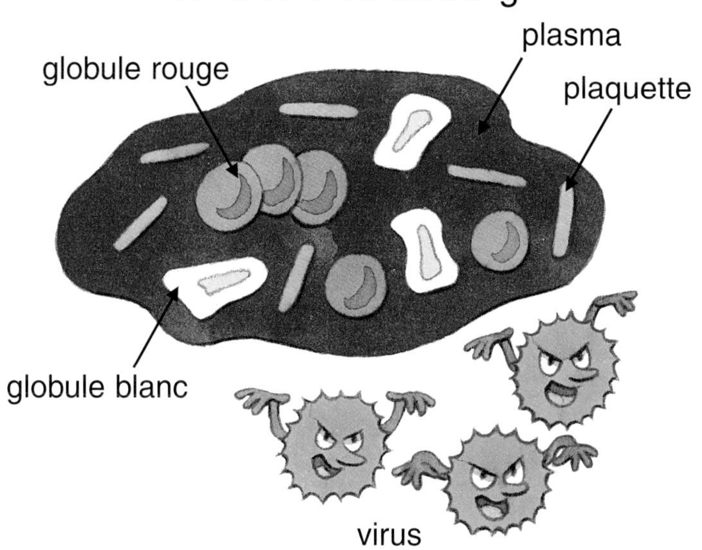

Pour éliminer des virus, il faut apprendre au corps à se défendre contre eux. C'est le principe de la vaccination : on injecte des virus très affaiblis. Les globules du sang se défendent et les tuent. Plus tard, si un virus actif pénètre dans le sang, les globules blancs le reconnaîtront et le détruiront.

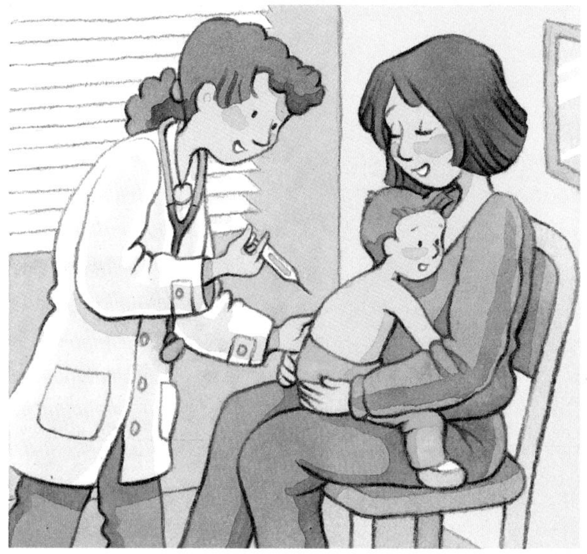

Le chimiste français Louis Pasteur met au point la vaccination et réussit le premier vaccin contre la rage en 1885 sur un jeune garçon. Aujourd'hui, les enfants sont vaccinés très jeunes contre des maladies graves : la tuberculose, la poliomyélite...

En 1865, un chirurgien anglais découvre qu'il faut désinfecter les plaies et les instruments pour éviter les infections. On met au point l'antiseptique, un produit qui tue les microbes et empêche les maladies de se développer.

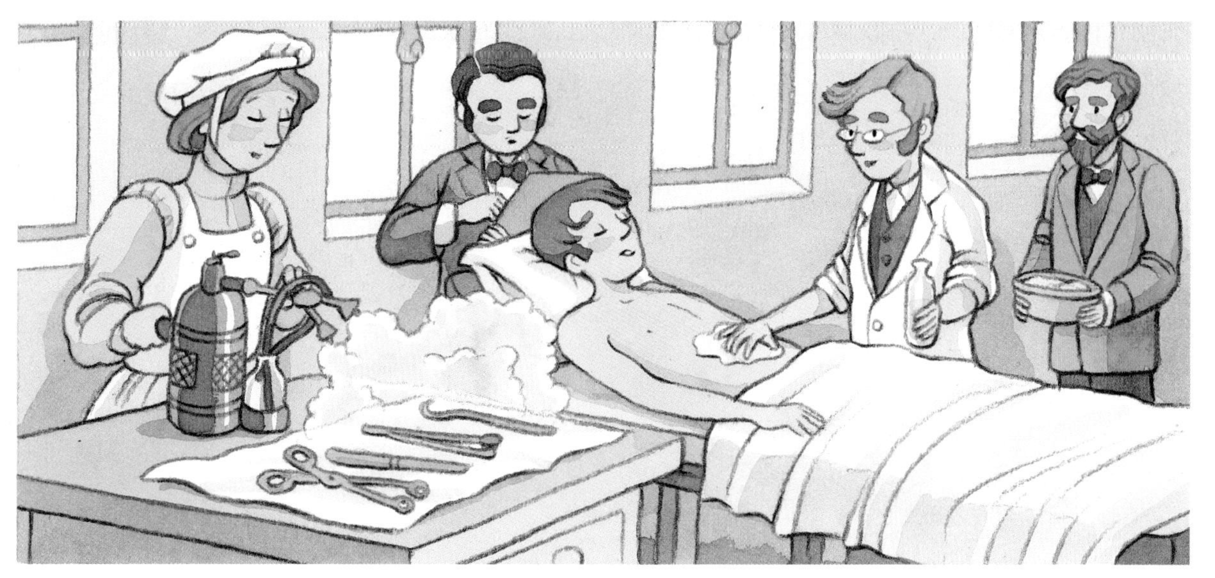

Le chirurgien Lister remarque que beaucoup de ses malades meurent d'infections. Il décide de nettoyer la salle d'opération, les instruments et les plaies du malade avec une substance qui détruit les microbes : le fénol. Les décès diminuent.

Fleming, un médecin anglais, invente la pénicilline, le premier antibiotique. Ce médicament tue certains microbes appelés bactéries. Désormais, on guérit grâce aux antibiotiques des maladies qui pouvaient autrefois être mortelles.

OPÉRER SANS DOULEUR

Pendant très longtemps, on ne sait pas calmer la douleur pendant les interventions chirurgicales ou l'arrachage des dents.

Pour éviter qu'un malade souffre, les Mayas lui donnent des drogues contenues dans des champignons ou des plantes. On peut aussi saouler le patient ou se contenter de le tenir fermement... À cette époque, les opérations sont redoutées.

Au XIXe siècle, un chirurgien américain, Crawford Long, constate auprès de ses amis qu'en leur faisant respirer de l'éther, certains ont des fous rires, d'autres s'endorment et ne sentent plus la douleur. Il décide donc d'en donner à ses patients pendant qu'il les opère pour qu'ils ne souffrent plus.

Quelques années plus tard, le docteur Simpson découvre un nouvel anesthésiant : le chloroforme. Aujourd'hui, divers produits sont mis au point pour anesthésier. Un anesthésiste se charge de les administrer au patient.

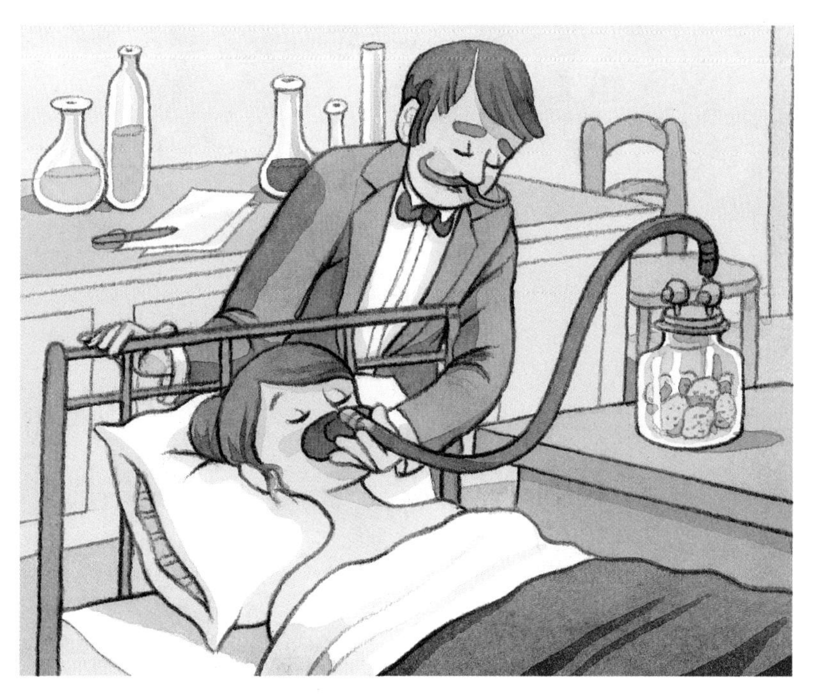

Le chloroforme est longtemps utilisé. Un flacon contient des éponges imbibées de chloroforme. Par le masque, qui est relié au flacon, la malade respire les vapeurs du produit et s'endort. L'intervention chirurgicale peut commencer.

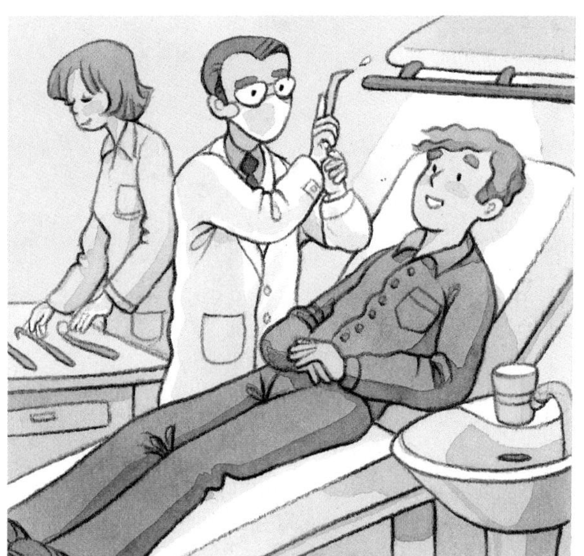

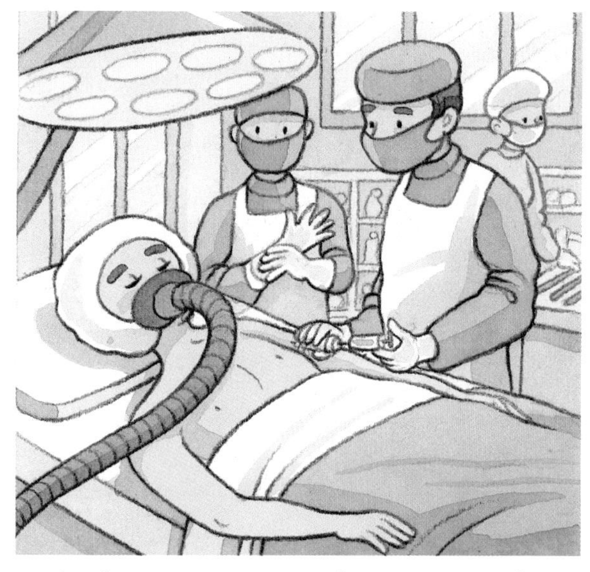

De nos jours, on peut n'endormir qu'une partie du corps : pour soigner une carie, le dentiste n'anesthésie que la gencive. Pour les opérations plus graves et plus longues, le patient est endormi totalement sous le contrôle du médecin anesthésiste.

REMPLACER DES PARTIES DU CORPS

Pour remplacer un bras ou une jambe perdus à la guerre, lors d'une infection ou dans un accident, on a inventé des prothèses.

Chez les pirates, souvent amputés après des combats violents, les bras étaient remplacés par des crochets et les jambes par des morceaux de bois. Un chirurgien français, Ambroise Paré, met au point la jambe et le bras artificiels articulés.

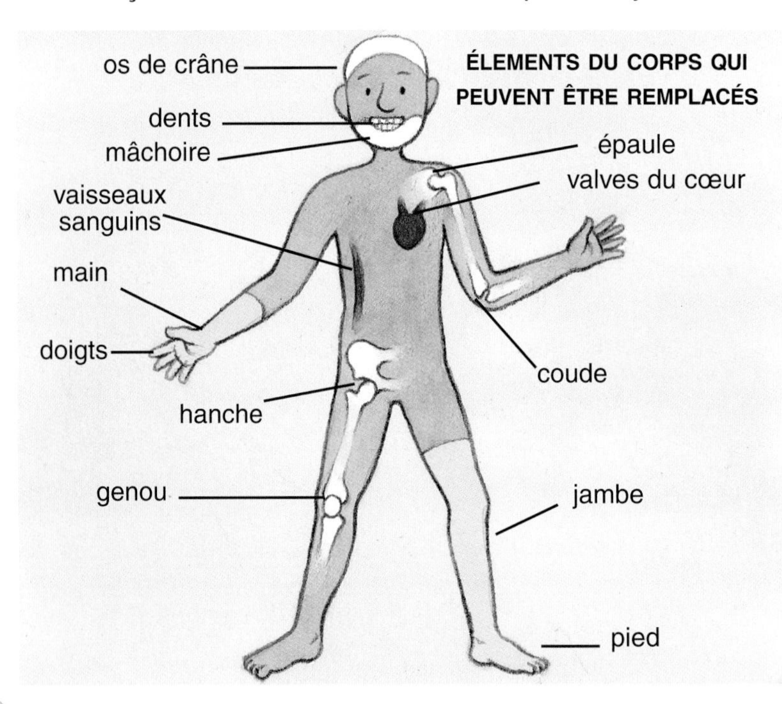

Les chirurgiens sont aujourd'hui capables de remplacer de nombreuses parties du corps lorsqu'elles sont abîmées ou usées. Les chercheurs ont trouvé des matériaux (plastique, métal) que l'organisme accepte et qui ne provoquent pas d'infections. Ils peuvent ainsi consolider des os ou les changer, refaire des articulations...

LE STÉTHOSCOPE

Pour mieux entendre les battements du cœur et la respiration du patient, le docteur Laennec invente le stéthoscope.

Pour bien écouter le cœur de ses patients, Laennec imagine un appareil qui amplifie le son. Il roule des feuilles de papier bien serrées pour que le son du cœur résonne dans le tuyau. Puis il le perfectionne en perçant un conduit dans un cylindre de bois.

Quelques années plus tard, le Tchèque Joseph Skoda invente le stéthoscope actuel que nous connaissons. Grâce à cet instrument, le médecin est capable de déceler un problème aux poumons ou au cœur.

LA RADIOGRAPHIE

Pour voir à l'intérieur du corps humain sans devoir l'ouvrir, un savant allemand découvre en 1895 la radiographie.

C'est en faisant des expériences sur l'électricité que Wilhem Röntgen découvre la radiographie qui permet de voir à travers la peau. Avec l'aide de sa femme, il effectue la première radio, qui montre le squelette de sa main.

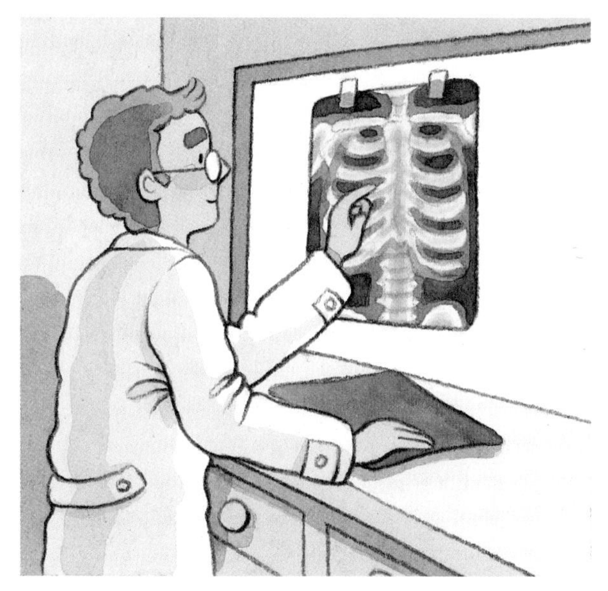

Aujourd'hui, pour voir si un os est cassé ou fracturé, ou pour savoir si un patient doit être opéré, on lui fait passer une radio.

ÉCHOGRAPHIE, SCANNER...

Les moyens d'examiner l'intérieur du corps ont été inventés au siècle dernier. Grâce aux ordinateurs, on obtient des images très précises.

L'échographie envoie des ultrasons dans le corps. L'ordinateur les transforme en images. Mise au point vers 1960, l'échographie est, par exemple, employée pour examiner le développement du bébé pendant la grossesse.

Grâce au scanner, chaque partie du corps peut être vue par tranche, on peut ainsi repérer les anomalies.

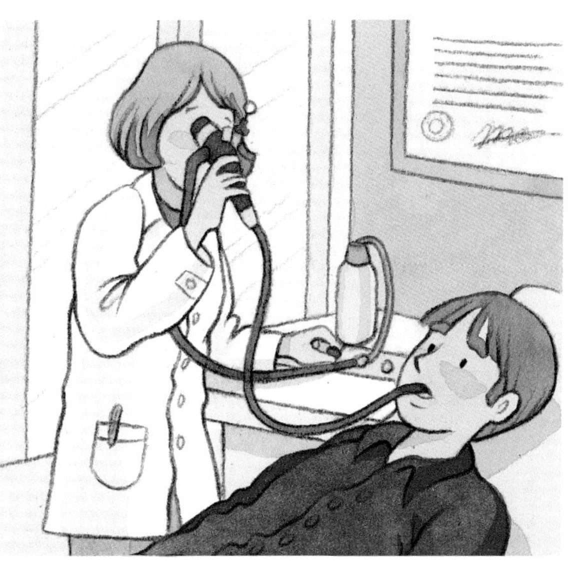

Ce long tuyau souple et très fin permet de voir l'intérieur de certains organes comme l'estomac : c'est l'endoscopie.

SOIGNER LES DENTS

Jusqu'au XIXe siècle, il n'y avait pas vraiment de dentistes. Au Moyen Âge, il fallait faire confiance au barbier ou trouver un soigneur à la foire.

Au Moyen Âge, les arracheurs de dents opèrent en plein air, avec une simple paire de tenailles, sans anesthésie.

Aujourd'hui, les instruments du dentiste ont beaucoup évolué et l'on peut endormir la gencive pour ne pas avoir mal pendant les soins.

Au XIXe siècle, pour soigner les caries, on invente la roulette qui se remonte avec une clé.

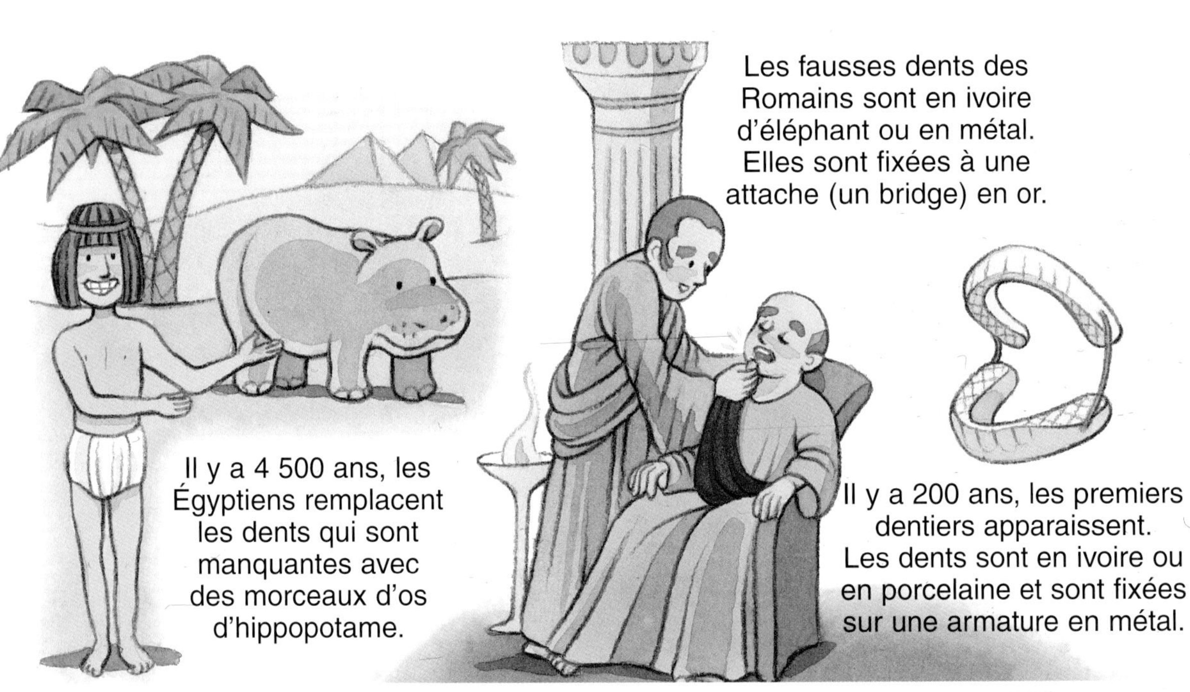

Les fausses dents des Romains sont en ivoire d'éléphant ou en métal. Elles sont fixées à une attache (un bridge) en or.

Il y a 4 500 ans, les Égyptiens remplacent les dents qui sont manquantes avec des morceaux d'os d'hippopotame.

Il y a 200 ans, les premiers dentiers apparaissent. Les dents sont en ivoire ou en porcelaine et sont fixées sur une armature en métal.

SERAIS-TU UN BON MÉDECIN ?

Comme tu viens de le voir, de grandes découvertes ont été faites en médecine. Pourrais-tu trouver la bonne réponse à ces questions ?

1 - Pour écouter le cœur et les poumons, on a inventé :
- le microscope
- le stéthoscope
- le magnétoscope.

4 - Louis Pasteur découvre le vaccin contre la rage. Il réussit son premier vaccin en sauvant :
- un chien
- un enfant
- un poisson.

2 - Pour contrôler que le bébé se développe bien dans le ventre de sa maman, on met au point :
- l'échographie
- la radiographie
- la photographie.

5 - Pour endormir les patients avant de les opérer, on découvre qu'il faut :
- de la chlorophylle
- du chloroforme
- du chlore.

3 - Pour tuer certains microbes, le docteur Fleming invente :
- les antidotes
- les antibiotiques
- la carabine.

6 - Le célèbre capitaine Crochet était un pirate, qui, lors d'un combat, avait perdu :
- une dent
- une oreille
- un bras.

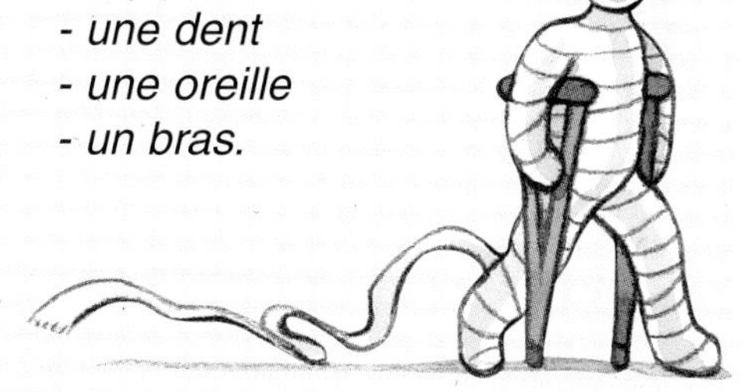

Réponses : **1** - le stéthoscope. **2** - l'échographie. **3** - les antibiotiques. **4** - un enfant. **5** - du chloroforme. **6** - un bras.

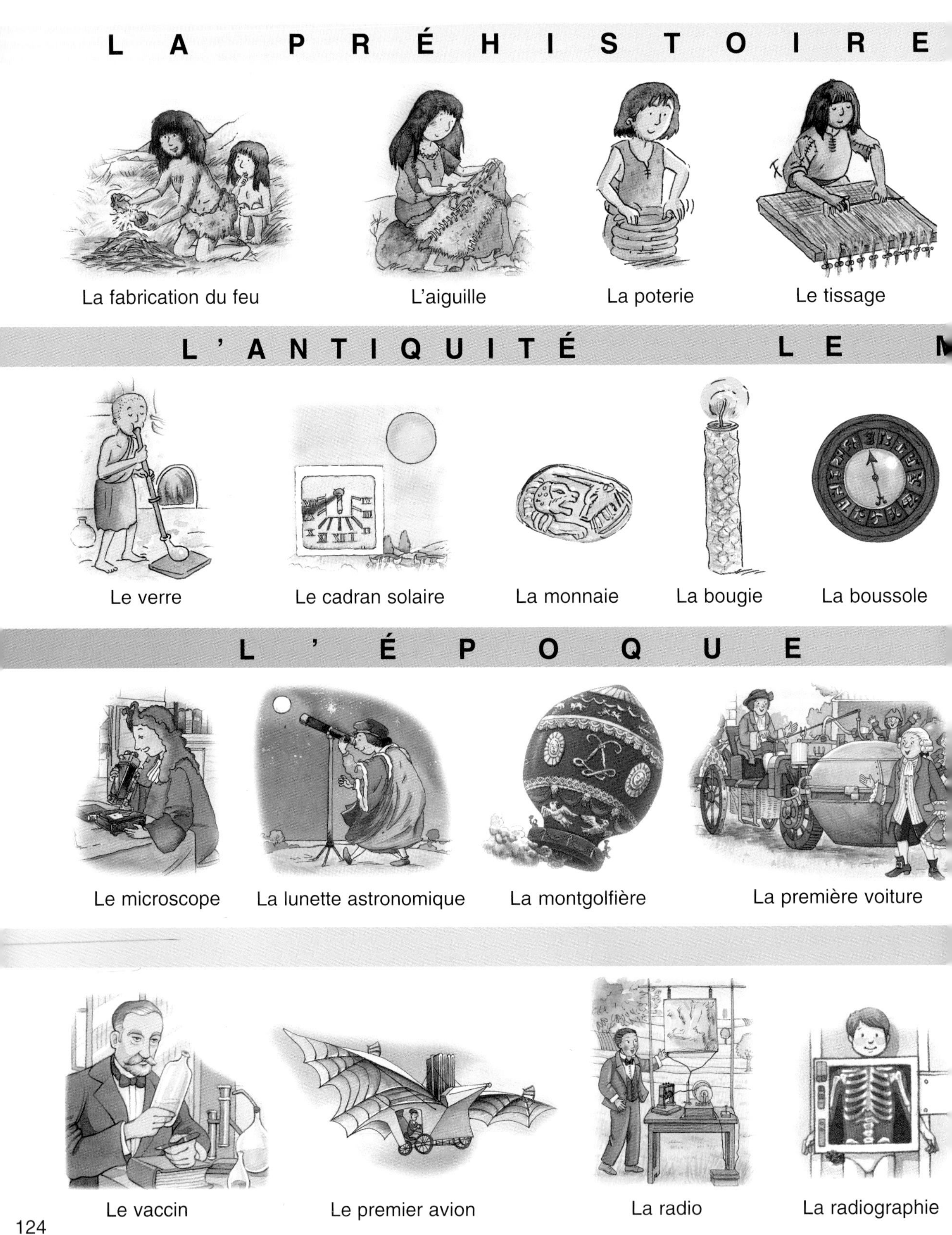

LA PRÉHISTOIRE

La fabrication du feu

L'aiguille

La poterie

Le tissage

L'ANTIQUITÉ

LE M

Le verre

Le cadran solaire

La monnaie

La bougie

La boussole

L'ÉPOQUE

Le microscope

La lunette astronomique

La montgolfière

La première voiture

Le vaccin

Le premier avion

La radio

La radiographie

L'ANTIQUITÉ

Le bateau à voile

La roue

L'écriture

L'araire

YEN ÂGE LA RENAISSANCE

Le rouet

L'horloge mécanique

Les lunettes

La presse à imprimer

MODERNE

La locomotive

La bicyclette

La lampe électrique

Le téléphone

Le cinématographe

La télévision

L'ordinateur

Le satellite

le monde des imageries
Dès 1 an
Des livres qui gran
Découvre tes p
La collection Pourquoi - comment ? répond aux
la collection des grandes imageries : animaux - t
32 pages + des images à découper.
LA NATURE
LA MER
L'ESPACE
MOYEN ÂGE
PRÉHISTOIRE
LE CORPS
LES CHATS
LES FOURMIS
LES ABEILLES
L'INVISIBLE
GRENOUILLES
L'EAU, LA VIE
PAPILLONS
LOUIS XIV
L'ESPACE
ÉQUITATION
LES PIRATES
LES ENGINS